ちくま新書

シン・中国人——激変する社会と悩める若者たち

斎藤淳子
Saito Junko

1710

シン・中国人——激変する社会と悩める若者たち【目次】

はじめに

　中国は未曾有の経済発展を実現したが、その経済社会の激変とともに恋愛と結婚も急速に変化している。「どうして互いに愛し合うことが、難しくなっているのか？」について名門、上海復旦《フーダン》大学の副教授が老舗雑誌『人物』で語り、「恋愛困難症」のテーマで特集を組んだ大手雑誌『新週刊』が全国の新聞雑誌スタンドで売れている。「脱単《トゥダン》」という新語がネット上で踊る中、「一人のほうが面倒でなくて良い」と感じる人が増えた。また、「どちらでも良いと構えて、楽にする」姿勢を意味する新語の「佛系《フォシー》」が登場したように、恋愛でも異性に興味や関心が薄い草食系の若者が増えている。一方で、そんな子どもを見る親は焦り、縁探しに奔走する。

　中国の2021年の結婚率（人口千対）は2013年の9・9から一気に5・4に激減した。この8年で半減しており、変化のスピードは尋常ではない。また、離婚率（人口千対）に至っては近年最も多かった19年は3・4と日本（1・57、20年）の倍に急増した。[1] また、人口当たりの出生割合も1949年以来、最低を記録。人口増加数は2017年に779万人だったのが48万人に減少した。[2] 同時に中国の労働人口は2015年にピークを過ぎ、少子高齢化が一気に進んでいる。

危機感を持った国は2021年1月、離婚手続きに「30日の冷却期間」を設けるクーリングオフ制度を導入し、離婚抑制に乗り出した。また、出産に関しては16年末に夫婦1組の子どもを1人に制限する一人っ子政策を事実上廃止し第2児を、21年には第3児も認め、出産奨励策に舵を切り始めた。

また、伝統的結婚観がまだ色濃く残る農村部では、婿家族が嫁家族に渡す結納金も、全国の結婚率の激減とほぼ時を同じくして過去10年で高騰を続けている。政府は2019年の年初重要政策文書の「一号文件」で初めて「法外な結納金」問題について触れ、最大でも年収の2倍以内に制限するよう定めた。制限しても年収の2倍だ。日本人には仰天の額である。また、21年からは「婚姻風習改革」と呼ぶ結婚風習にまつわる「歪《ゆが》み」を正すプロジェクトも開始している。

農村部の男の子の親にとって息子の嫁探しと結納金問題は特に切実だ。シルクロードで知られる中国西北部の甘粛省《ガンスー》の農村から北京に出稼ぎに来ている王さんは、大学在学中と高卒で働く2人の息子の将来を早くも心配している。無事にお嫁さんをもらえるように結納金（2人合わせて700万円以上）を準備し、次男の背中の皮膚のあざを消すのにも数年前から余念がない。伝統的価値観と厳しい経済環境の中で生きる彼女にとって息子たちの結婚は、自分の一生をかけたプロジェクトなのかもしれない。後の章で詳述するように、諸事情により、昔ほど当たり前でも簡単でもなくなった現代の結婚は、中国の農村部の安定を揺るがしかねない社会問題になりつつある。政府が近年になって結納金の規制にまで乗り出したのはそうした事情が背景にある。

農村だけではない。都市部でも当の本人たちを差し置いて恋と結婚のあり方に焦っているのは親たちだ。その焦り具合はお茶の間の娯楽番組の発展傾向からも見て取れる。江蘇衛星テレビの『誠実でない方お断り（中国語で「非誠勿擾《フェイチオンウーラオ》」）』は、一般人参加型の人気お見合い番組で、過去12年間に延べ1万人以上の参加者の中から500組以上のカップルを送り出してきた。2019年には、その人気にあやかって同局・同司会者の『新お見合い大会（中国語で「新相親大会《シンシイアンチンダーフウイ》」）』という新番組がスタートした。この番組の新しさは、若い男女の相手選びに両親（親族）が参加する構成になった点だ。興味深いのは、現在結婚ピークにある世代の家庭では、子どもの恋愛や結婚に対する親の焦りと関与が強まっている点だ。

同様に、筆者のこんな日常からもその空気は感じ取れる。北京市内の集合住宅の住民の物品交換グループチャットには「同僚の息子83年生まれの逸材が以下の条件を満たす女性を募集中。①容姿端麗、②優良家庭（権力と金ともに）、③優良就職先」、「92年生まれ女。北京師範大卒で北京戸籍有り。男性募集」などという「人間」情報が家具やキッチン用品などの「物品」情報に混ざって回ってきたことがある。

将来のパートナーを探している若い本人たちはおそらく、中古物品交換のグループチャットに自分の情報が流れていることは関知していないだろう。もし知ったら嫌がるに違いない。そのくらい、現在の恋愛・結婚適齢期の若者と親の世代の間の意識の差は大きい。時代があまりに急速に変化したため、第1章で詳述するように、中国には世界一大きなジェネレーションギャップが存在しているように思う。

一方で、親の焦りを横目に若者たちはなぜ恋愛から遠ざかっていくのだろうか？　そもそも、最近の中国の若者たちは一体どんなことに興味を持ち、悩み、毎日急速に変化する社会で暮らしているのだろうか？　中国の若者の恋愛観は日本と一体何が違うのか？　それとは正反対に親たちはなぜそんなに子どもの恋愛や結婚を注視し、また干渉を以前にも増して強めているのだろうか？　親たち自身が育んできた中国の伝統的結婚観とは一体どんなものなのか？　格差の大きい都市と農村間で恋愛と結婚はどう影響し合っているのだろうか？

これらの問いに答えながら、激変を遂げる中国社会の理解を深めてもらえたら嬉しい。そして、親の世代とは全く異なる価値観やセンスを持って生きる若者たちを追う中で見えてきたのがこれまでの我々が知る「中国人」では掴みきれないタイプの人々の出現だ。彼らはグローバル化する世界で欧米のトップ校へ留学し、海外文化を貪欲に取り入れ、全方位へ好奇心と行動のアンテナを広げている。その一方で日本の若者とも共通する繊細さを持ち、激変する社会の中で悩む。そんな彼らを本書は「シン・中国人」と名づけ、恋愛と結婚を切り口に彼らの生の姿に迫ろうと試みた。

＊　＊　＊

筆者が北京に降り立ったのは1996年の夏。北京は拡大を続け、現在は一周188キロの第6環状道路までできているが、その当時は第3環状道路がまだ建設中だった。埃《ほこり》と油っぽい匂いと明日への高揚感が渦巻く都市に底しれぬ魅力と広がりを感じ、胸が躍ったのを覚えている。その後北京の大学の留学生、貧困農村開発プロジェクトオフィサー、在北京日本大使館の農村・農民・農業（いわゆる「三農《さんのう》」）問題に関する専門研究員、ニュース翻訳及びフリーライター、そしてこの街の一住人として北京の街と人の変化を共にしてきた。

その二十数年は、まさに人類の歩んできた社会発展の中でもっとも速いとも言い得る、一足飛びの発展の過程だった。当時は電話一つかけるのも、電話器を並べた半屋台の電話屋さんに現金を手渡し、連絡相手のビーバー交換台に電話屋の電話番号を伝え、相手がビーバー上に表示された私の電話番号に電話をかけてくれるのをそこで待つという悠長なものだった。固定電話は一般家庭にあるものではなく、学校や職場の貴重な共有施設の一つだった。

ところが、その数年後の90年代末に日本では半世紀以上続いた個人用固定電話時代を通り越して、中国は一気に携帯電話の時代に突入した。今では10億５１００万人がスマートフォンを持ち、[3] ＧＰＳを基にした移動記録は秒単位でビッグデータに記録され、市民の全日常生活を支配する新型コロナウイルスパスポート（中国語で「健康宝《ジイエンカンパオ》（Health Kit）」）を示す必須アイテムとして使われている。買い物の支払いも、くしゃくしゃだったり、ニセだったりした現金からほとんどがスマホ決済に移った。これだけの変化がたった二十数年で起きたのだ。

同様に、二束三文で所有（使用）権さえ未整備だった北京市内の住宅物件は、平均収入比では世界最高レベルに高騰した。先進国の住宅は年収の約10倍で買えるのに対し、中国の住宅は全国平均でさえ約20倍、北京市や深圳《シェンチェン》市など大都市においては40倍以上という異常な高騰を遂げた。

今では北京市の北半分の第3環状道路以内で1億円以内の物件は「穴場」である。第2と第3環状道路の間に位置する我が家付近の普通の3LDKのマンションも2001年の価格から約18倍の160万元に高騰しており、円安の今はざっと3億円以上になる計算だ。中国の人が「永久的に所有可能な」東京のマンションの「安さ」に驚き、フロアごと爆買いしているのには本国のこうした特異な事情がある。こんな激変も足元この20年のことだ。

筆者はこのような激変を現地で体験してきた。転職するごとに給料が倍増し、若くても同国では（立ち上げたばかりの）「新業界」の「先駆者」として重要な職務を任され、街には贅沢なカフェや本屋がどんどんオープンするなど、変化は活力に満ち刺激的だった。ジャパン・アズ・ナンバーワンを実現した80年代の日本の雰囲気にも似た活力と、横並びでつながった世界に対する貪欲な好奇心は今の中国ならではの魅力だろう。

しかし、派手な成長の陰で、生き馬の目を抜くような激しい競争の下、荒々しい破壊や淘汰も進んだ。また、余りに速い変化にあって、人々の「投機的」焦りは増す一方だ。「今成功しなくては、もうチャンスは来ない」「一歩間違えたら、一生、自分は乗り遅れる」そんな焦りを皆が感じながら走り、また苦悩している。

その中で筆者の心に刺さったのが現地の人たちの恋愛と結婚だ。これらは各個人にとっては人生を左右する切実で、大事なテーマだ。社会全体としてみれば少子化などにつながり国全体の将来を左右しうる重大な社会現象でもある。

これだけの激しい変化の中でチャンスと軋轢《あつれき》が生まれ、人々は一体どう対応しているのだろうか？　かねてより現地の人々の興奮と苦悩を彼らの息遣いとともに伝えたいと思ってきた。強大化し好戦的な「戦狼《ヂアンラン》」色を強め、複雑すぎて難解に見えるこの国を、最も人間的でシンプルな愛の一面から体感的に伝える、本書がそんな一冊となることを願っている。

第 1 章

世界一のジェネレーションギャップ
——生活、金銭感覚、結婚観

「あり得ない」を次々と実現し、世界を驚愕させる「中国スピード」。しかし、快挙の陰には巨大な世代間の溝が横たわる。世代ごとの世界観の違いとは?　2022年北京、photo=著者

†「中国スピード」が社会を激変させる

中国は自他ともに「中国速度《スードゥ》（中国スピード）」と呼ぶ驚異的速度の発展を実現した。世界で100年近くかけてじっくり到達した経済、社会、文化の発展を中国は改革開放後のたった数十年で実現したのだから、この圧縮圧力は前代未聞だ。急速な発展というと聞こえは良いが、それは市民一人一人にとっては、生活様式や考え方の激変を意味した。社会の余りに速い変化は大きな心理的ストレスも生んでいる。

2022年4月、上海のロックダウンの最中のネットコンサートで約4500万人という記録的な大観衆を動員した80年代の中国ロックの元祖、崔健（ツィ・ジィェン）も往年のヒット曲の中でこう叫んでいる「俺が物わかりが悪いわけじゃない、世の中が変わるのが速すぎるんだ！」と。

1976年の毛沢東（マオ・ザァドン）の死去後、中国は長く続いた半鎖国状態に終止符を打ち、1978年に改革開放に舵をきった。農村の市場経済化と深圳、厦門《アモイ》、珠海《シュカイ》、汕頭《スワトウ》の経済特区の設置による対外開放の「改革開放」政策へ大転換を行い、1984年には沿海14都市の対外開放を断行し、高度経済成長の時代に突入した。

78年まではアルバニアやタンザニアなどの一部の友好国を除き、主要な世界各国から孤立しほぼ鎖国状態で独自路線を歩んできた。そこから門戸を開き、日本と欧米先進国をはじめ世界と経済的、文化的につながったのが改革開放だ。その前と後での価値観の変化は日本でたとえるなら、180度世界観が動いた1945年の終戦に相当するかもしれない。そのくらい、衝撃的な変化が中国では四十数年前に起きたばかりなのだ。今日の中国を理解するにはこの天変地異の前後を知る必要がある。

これを境に中国では全てがひっくり返った。例えば、地主出身というだけで多くの人が命を落としたように、「資本家的」といえばプロレタリア独裁下の「正しくない」階級を意味する形容詞だった。それが、改革開放後は鄧小平（ドン・シァォピン）が言ったように「余裕のある人から先に豊かになろう」「発展こそ真の道理」と、社会全体が物質的な豊かさや資本家的な成功を目指して走り出した。個人が稼いでお金を儲け自分の財産を増やすことは、階級の敵による罪深い行為から成功の王道へと、180度位置付けが変わった。そして、今では、恋愛と結婚さえもその手段の一つと捉える極端な見方さえ出てきている。

価値観が振り子のように180度変化する中で、旧来の恋愛観も音を立てて崩れた。詳細は後述するが、文革中は自由恋愛自体が「資本家階級の堕落した行為」「不適当な行為」とされ、厳しく禁じられ監視されてきた。男女が組織の許可なく恋愛をしていたことが外に知られたら、政治生命のみならず、命そのものさえ危うくなる特異な時代が1970年代まで続いたのだ。そんな一種の無菌状態から、改革開放を境に、香港や日本の映画・歌謡曲が輸入され巷で聴かれるようになると、恋愛への人々の見方は大きく変化し始める。こうした特殊な歴史を経ているので、今日の中国の恋愛観は、若者同士の自由な恋愛が当たり前とされてきた日本のそれとは、根本的に違う。

大きく振れたのは、出産に関する国の政策も同じだ。人口政策について詳しくは後述するが、改革開放前は多産が奨励された反動で、改革開放後の1979年から一人っ子政策が導入された。この後37年間に生まれた世代の都市部出身者はきょうだいが居ない。そして、前述した通り、2016年以降は事実上の一人っ子政策を廃止し2人まで、2021年には3人まで出産が可能となった。しかし、少子化対策の効果はまだ見えず、日本同様に中国にとっても焦眉の課題となっている。

このように、昨日まで禁止されたことが今日は推奨され、不可能だったことが可能になり、さらに奨励までされるようになった。中国ではそんな文字通り目が回るような変化が過去数十年間、日常となってきた。

稼いでお金を儲け、私有財産を築くことから、若者の恋愛、複数の子どもを生むことなど全ての位置づけと価値が社会経済の変化とともに急変した。日本では数世代にわたって経験した数々の変化を中国では、一人の人生の中で圧縮して体験したことになる。逆に見ると、急速に時代が流れた中国の親子間には他国の数世代分の時間が圧縮されている。この変化の「中国スピード」を考えれば、中国の親子の間に世界最大級のジェネレーションギャップがあるのは当然とも言えるだろう。

†祖父母世代の勤勉すぎる節約習慣と金銭感覚

具体的には、中国の親子では金銭感覚、娯楽感覚、美意識から結婚観、恋愛観に至るまであらゆる領域の感覚に巨大なギャップがある。金銭感覚で最も大きな開きが見られるのはおそらく今の80歳前後の親と50代前後のその子ども世代の間だろう。日本でたとえるなら、両者のギャップは明治生まれの高祖父母と今の若者、つまり5世代分くらいに相当する開きがあるように思う。

それもそのはず、中国の80歳前後の高齢者といえば、日中戦争、大躍進後の飢え、文化大革命、改革開放の激動の時代を生き、筆舌に尽くしがたい苦労と経験を重ねてきた。彼らはひたむきで決して労を惜しまず猛烈に勤勉だ。ただ、貧しく苦しい時代に培った極度の倹約癖を、豊かになった今でも頑なに、そしていささか強引に実践し続け、子どもとの間に軋轢《あつれき》を生むことがある。

よく聞くのが彼らの間では「常識」の、極限までチャレンジする節水習慣だ。北京はたしかに砂漠に近く乾燥しており、水資源に乏しい都市なので、節水の重要性は日本の比ではない。海外に行って初めて知ったが、そもそも、日本は例外的に水資源に恵まれており、これは世界の標準ではないということだ。アメリカでもヨーロッパでも中国でも日本のように蛇口の水はそのままでは飲めない。ミネラルウォーターはワインやビールより高価な所が世界にはたくさんある。

北京の水質も日本のようには良くない。東京では10年着てもずっと白いシャツが、石灰質の多い北京の水で洗っていると、半年でくすんだ薄灰色に変色する。同様に、やかんには真っ白な石灰質がガリガリにこびりつく。

中国は南北で異なり、南の方が水は豊かだが、北京のある北方地域ではとても日本のように毎日、体ごと湯船に浸かってお風呂を楽しむという発想はない。一杯の洗面器に取ったお湯で絞りタオルを作り顔や上半身を拭き、その水にお湯を足してそれで足湯をして足を温めスッキリする、というのが年増の人のお風呂代わりの寝る前の習慣だ。

そこで、本題のおばあちゃんたちの節水の知恵が登場する。たらい一杯の水でまずお米を洗い、次にその水で野菜を、さらにお茶碗を洗い、タイル床のモップ掃除をし、最後にそれでトイレを流すという徹底ぶりだ。

40代の元同僚も嘆いていたが、彼女の家でもお姑《しゅうとめ》さんによって、洗濯機を使って洗濯をすれば本来45分で終わるはずの洗濯が半日がかりになるという。お姑さんは全自動の洗濯機から排出されるすすぎの水を再利用しようと、洗濯機を毎回止めて大きなたらいに水を取り置きするためだ。だから、この世代の人が住む家の中は、再利用するために水を溜めるバケツがズラリと並んでいることが多い。

ネットの相談室には「いくら言っても母が洗濯機を使ってくれません。5人家族のシーツから厚手の服まで全て手洗いするので、母の疲労が心配です」という悲鳴にも似た相談が寄せられている。手洗い派のお母さんの言い分はこうだ。「洗濯機ではきれいにならないし、水道代や電気代も無駄になる」と。働く娘からすると家に立派な洗濯機があるのだから使ってくれれば自分も気が楽ということだろう。

また、水のメーターは一滴ずつの微量の水には反応しないため、この世代は「ただで」水を使う目的で、たらいに一滴ずつ水をためて使う人も多い。彼らが目指していたのは厳密には、節「水」ならず節「銭」だったことが明かされる。

こうした彼らがよく言う言葉が「要らぬは無駄」という言い方だ。つまり、何かタダ（無料）の配布があるのに、敢えてそれをもらわないことを一種の「無駄」と考える思考様式だ。だから、新型コロナウイルスワクチンの接種者を増やそうと、「接種者にはゴミ袋贈呈」とすると、この世代の人はすぐに反応する。そこまではともかく、問題はより多くの無料ごみ袋獲得を目指して家族全員にも接種を強要する点だ。

団地や業者が企画する「遠足」も、行き先に興味がなくても、道中で配布される無料のおやつや景品のために参加する。家族も一緒に参加して頭数を稼ぐよう求めることもある。スーパーの安売りなどで数円安くなった粉物を買うために並んでいるのはほぼこの世代だ。1人が買える個数が制限されている場合は、またしても家族を動員して値引き商品の購入量を最大化し「無駄」を出さないよう努める。それらの日頃のたゆみない努力の結果、家には出番がない安物の景品が山積みだ。しかし、もらってきたものが必要かどうかは、彼らにとって問題ではない。無料のものを「もらわない」のは罪の感覚に苛《さいな》まれるからだ。

こんな風に猛烈に勤勉な節約癖の親たちをちょっと前までよく見かけたものだった。

†iPhone、航空券をめぐる親子間ギャップとウソ

その一方で、その子どもに当たる現在50代中盤前後の人は1990年代以降の経済成長に一番乗りし、急成長する中国経済を牽引して走ってきた改革開放世代だ。彼らの一部には、タイミングよく中国経済の爆発的な成長期に居合わせ、早々に半退職し悠々自適な生活を送る人さえいる。彼らは日本や米国以上に高いスターバックスの600円以上のコーヒーや軽く7、8万円するiPhone（アイフォーン）を普通に消費する。

当然ながら、彼ら親子の金銭感覚には天と地の差がある。子どもは親に楽をさせてあげたいと思うが、親は「無駄遣いは罪」と受け入れない。親の頑固な倹約ぶりに悲鳴をあげている働き盛り世代は少なくない。そこでやむなく彼らが頼るのがウソだ。

例えば中国全土を出張で飛び回っている知人は、母親にも田舎への帰省の際に飛行機を利用させてあげようと「マイレージを貯めたので、無料の航空券があるからそれを使って帰りなよ」とウソをついた。お母さんの里帰りは過去40年間ずっと、所用時間20時間超の長距離列車での移動と決まっていたからだ。

母親は今は帰省しないと断ったが、問題が起きたのはその後だ。「それにしても、タダの切符があるのに使わないのは余りにも無駄だ」と思った母親は、息子が手に入れたとウソをついた「『無料』航空券を使って帰省しないか？」と周囲の親戚たちを勧誘し始めたのだ。「これには慌てたよ」と知人は笑いながら話す。

また、タクシーの運転手さんの母親に、羽振りの良い兄がiPhoneをプレゼントしたという。しかし、一日数元の節約に努めている母親に、スマホ1台に数千元の大金を使ったとはとても言えない。「なあに、高くはないよ。数百元だよ、気にしないで使って」とお兄さんはウソをついて母親にスマホを渡した。

喜んだ母親は周りの友人たちにそう自慢したところ、近所の常識あるおじさんが「それは安い！　上乗せした金額を出すから譲ってくれ」と言い、何も知らない母親は喜んで、息子が支払った額の半額以下で新品のスマホを売ってしまったという。それでも、このタクシー運転手さんの一家は誰一人として母親にウソを明かさず、文句も言わずに平静を保った。お母さんをがっかりさせたくなかったからだ。

これは8年前に聞いた世代間ギャップの話だが、この国の世代を隔てる壁の厚さとともに、親を思う気持ちの篤さに思わず感じ入った。このパターンの親子間の隔たりは、主にお年寄りが、日々刷新される市場経済のハイエンドの実態を理解しておらず浦島太郎であることによって起きている。それでも、時代について来られない昔風の親を見つめる子どもの目は優しい。時代が速く変化しすぎて開いてしまったギャップは、子どもの善意のウソで埋めるしかなかったのだろう。ウソの力を借りなくては埋められないほど経済シーンが急変してしまったからだが、子どもの必死のウソは温かい。

†文革世代の親子の人生観、結婚観

ウソをついてまで親の気持ちを大切にする子どもの心意気には感動したが、この世代より一世代下がった文革世代の親とその子のジェネレーションギャップは、少し毛色が違う。先の世代間では、経済・金銭感覚の開きが顕著だったが、こちらの世代で問題になる開きは親子の恋愛・結婚観のギャップだ。こちらの違いは経済状況の理解度というより、人生観そのものに根ざしているので、金銭感覚以上に根深く影響も複雑だ。

50年代から60年代前半に生まれた世代は文化大革命（以下文革、66〜76年）中に幼い時期を過ごしたか、紅衛兵運動に参加し、大学が閉鎖され、農村に下放された世代だ。この下放により、1968年からおよそ10年間にわたり、1600万人を超える青年が半強制的に辺境農村での生活を強制された。

また、1966年から68年の3年間に中学・高校（12〜17歳）にいた世代（49〜56年生まれ）は大学入試が再開された73年頃には、入試受験年齢を過ぎていたが、特別に入試を許可され、ひと回り若い世代に混じって大学生となった。彼らを「老三届《ラオサンジエ》」と呼び、年増の文革世代の代名詞にもなっている。このように文革中に若い時期を送った彼らは、文革の混乱で学校教育は停止し正規の公教育を受けられずに育った。

誰でも自分の過去は肯定したいものだが、彼らも多感な青春時代に過ごした文革全体を「青春に悔いなし」と肯定的に回顧する人が多い。生まれた時から文革が終わるまで革命思想の純粋培養を受け、毛沢東だけをヒーローと固く信じて生きてきた彼らの中には、改革開放後に入って来た外国文化に当惑した人も多い。まさに、彼らにとってそれは青天の霹靂《へきれき》だった。近年の米中対立の激化の中で「やはり中国が一番」「偉大な我々に西欧思想は要らない」という国粋主義的な傾向がこの世代に強いのも、彼らのこうした生い立ちと無関係ではないかもしれない。

この世代の人々は就学年齢になったら文革により教育機会を奪われ、無学のまま過酷な農村に下放され、文革収拾後に中国が経済改革に乗り出した後はやっとの思いで都市部に戻り、職を得たのもつかの間、90年代の国営企業改革では学歴の低さや年齢的な要因から真っ先に首を切られた。彼らが激動の中国に翻弄され苦労の連続を歩んできた「不運の世代」と言われる所以である。

今のトップ（1953年生まれ、2023年6月で70歳）も下放の経験があり、この世代に入る。60年代の政治思想教育は旧社会の「苦」の経験の意義が強調され、彼らは旧社会の「苦」に代わる「試練」として農村への下放を受け入れたという。現在の北朝鮮のような密室状態の中で青春を過ごした独特のメンタリティーをもった世代といえるだろう。建国前の半植民地状態からの独立を目指して、自国の近代化を模索し苦悩した彼らの上の世代とも、改革開放後に貪欲に欧米・日本の技術や制度、文化を吸収しながら果敢に新しい社会に飛び出した下の世代とも違う。この世代の違いは、政治経済文化のあらゆる面でさまざまな影響を生んでおり、中国の現代を理解する上で非常に重要だ。

†金正日の死去を見る目

北朝鮮の状態を中国の人がどう見ているかが漏れてきたのが2011年12月の金正日の死去の際だった。胡錦濤（フー・ジンタオ）政権期にあたる当時の中国のネット空間は中国版フェイスブックに当たる「微博《ウエイボー》（Weibo）」を2億人が使っていた微博の全盛期。そこでの言論は今とは比較できない自由度を謳歌していた。

中国外交部が「金正日同志は中国人民の親密な友人で、中国の党、政府、人民は金正日同志の逝去を深く悲しみ、中国人民は永遠に彼を思いしのぶだろう」と弔意を公表すると、微博ではこの弔意を引用した上で「（中国人民から）僕は除いてくれ」と書いた投稿が大量に出回った。

こんな感じで、市民の反応は総じて冷ややかだった。そして、その中には30年前の毛沢東の死去の際と重ね合わせた見方もあった。「今日の北朝鮮は30年前、毛が死去した76年とだいたい同じだ。人々は膝まずいて号泣する。彼らの内心はむしろ恐怖に違いない」「かつての中国、今の北朝鮮では一体何の力が民衆をこんなにも忠誠心と激情に掻き立てるのか？　民衆はこんなにも愚かではないはずだ！」とその当時の自分たちを思い出し、北朝鮮で泣きわめく民衆を目の前にして、複雑な嫌悪感を吐露する人もいた。今の結婚適齢期の子どもを持つ親には、北朝鮮を見て他人事とは思えない、そんな時代を生きてきた人たちが少なくない。

†80年代に開花した自由――ヒーローは高倉健

一方、先のマイレージを使った「無料航空券」とiPhoneのウソを親についた世代は、彼らより一世代若い。日本の終戦がその前後で異なる世代を作ったのと同じく、中国でも改革開放は世代の分水嶺になった。60年代半ば生まれより後か前かで、全く違う経験をすることになったからだ。60年代後半以降の生まれの人々が物心がついた青春時代は主に改革開放以後に当たる。彼らは、80年代の日中蜜月時代に多感な時期を過ごした。中国の80年代は中でも特殊な時代で、それまで長いこと抑えられていた各方面の自由が一気に開花したエネルギッシュな空気に満ちていた。

当時、中国の人が堰《せき》を切ったように入って来た外国文化をどう吸収したかがよくわかるのが、高倉健主演の日本映画が巻き起こした一大ブームだ。今や中国を代表する世界的監督となった張芸謀（ヂャン・イーモウ）いわく、文字通り同映画は中国を「征服」したという。彼はまた高倉健を「僕の心の偶像であり、神だ」とストレートに崇拝する。

1978年の日中平和友好条約締結直後に放映された高倉健主演の推理アクション映画『君よ憤怒の河を渉《わた》れ』は、日本ではほとんど知られていないが、中国では外国映画史上最高の1億人の観客を動員し空前の大ヒットとなった。その時期の中国は、密告や無実の人の罪人扱いが日常化した文化大革命が終わったばかり。国は海外への窓を開け、個人は家庭、感情、人生すべての再建に取り組もうとしていた瞬間だった。この特別なタイミングに、高倉健は冤罪《えんざい》と戦うヒーローを演じ、それは「隕石の如く観客の心に落ちてきた」と当時を振り返る50代の中国人日本映画専門家は表現する。

大人は冤罪の身の潔白を自らの行動で証明する東洋的ヒーローの剛毅《ごうき》な勇気や正義に、そして若い人は家や常識に縛られない大胆な愛のストーリーに心を奪われた。とはいえ、映画に登場するキスシーンでさえ「品行不良」のためにカットされたというから当時の中国社会の保守性は推して知るべしだろう。

映画を見た中国人男性は、高倉健が演じる寡黙でダンディな理想のヒーローに近づこうと、2週間で10万人が健さんと同じレインコートを購入し襟を立てて着用し「なるべく話をしないように努力し」「息を殺した」という。「あの時は（あんな風にカッコイイ寡黙な男性にならねばと）ただならぬプレッシャーを感じたよ」と今の40代、50代の男性は冗談交じりに当時を振り返る。それまでの中国人の持つ日本人男性のイメージといえば上にへつらい下に横暴な背が低い軍人だ。それがこの映画で一気に寡黙で男気のあるダンディな男性に塗り替えられたのだから、健さんのソフトパワーは偉大だ。

そして、この映画から10年後にこの世代は、89年の天安門事件を経験し、90年代には「下海《シアハイ》」し（安全な陸地に当たる国公営の職を辞して、未知の大海に出て自ら起業すること）、手探りの経済発展に最初に飛び込んだ。文革世代とは一世代の違いだが、両者の経験とビジョンには大きな差がある。

†一人っ子世代の結婚の懸案事項――戸籍、住宅

改革開放世代とその親の間の金銭感覚の差については既に触れた通りだ。一方、文革世代の親子の間の金銭感覚はそれほど深刻ではないものの、家族や結婚、恋愛観に関しては絶望的な違いがある。さらに、タイミングの悪いことに、この文革世代の子どもは80年以降に実施された一人っ子政策の影響を受けた最初の世代でもある。そのため、都市部住民の場合、彼らの子どもは1人に制限された。親は文革時代を生きてきて、並々ならぬ苦労をしてきた。ようやく、結婚して生まれてきた1人だけの大事な子どもには、自分のような苦労はさせたくない。少しでも良い生活が送れるように、新しくなった時代、社会で大いに成功してもらいたいと願う気持ちが、この世代はことのほか大きい。

たとえば、筆者の知人の60歳になる父親は30代の一人息子を子どもの頃から手塩にかけて教育してきた。労を惜しまずに、子どものために奔走した努力が実を結び、息子さんは北京の名門大学を卒業後、ニューヨークの大学院に進学。誰から見ても最高レベルの学業を成就させた。しかし、数年前に米国から帰国し北京で仕事をする息子に父親は至極不満で親子関係も一時期は緊張していたという。

その原因は息子さんの恋愛と結婚だ。息子は米国留学時代に付き合っていた女性がいたが、両親は彼女の学歴が彼に釣り合わないことを理由に執拗に交際に反対。結局、彼もその圧力に屈して別れてしまった。息子のAさんは「将来は結婚して子どもも欲しいと思っている。年だから、今更もうドキドキできる恋をしようとは思わないが、性格や価値観だけは合う人がいい。でも、そういう人にはなかなか出会わない」と語る。

一方、父親は一刻も早く息子がふさわしい相手と結婚してくれることを望んでいる。なかなか結婚しない息子に業を煮やして、政府幹部の娘を紹介したのに、息子は首を縦に振らなかったという。「こんな良い縁談はないのに、あいつは何も世の中のことが分かっていない。相手は北京戸籍で、北京に立派な家をもっている幹部の娘なんだよ」とやる方ない。

ここで、仮に彼の子どもが一人息子でなく、他にきょうだいがいたならば「下の子は自分の希望に合わせてくれるかもしれない」と思って慰められる。実際にはそうならなくても、2人の子どもが成長する頃には親のほうも、子どもは自分と違う人格を持った人間と悟り、諦めがつくかもしれない。ところが、一人っ子だとそうはいかない。「後にも先にもこの子だけ」という思いが先行し、「絶対に失敗は許されない」と一発勝負に賭けてしまうのが親の性《さが》ではないだろうか。親の気持ちは痛いほど分かるが、一方的に期待と圧力をかけられる子どもから見れば、迷惑この上ない話である。

†北京戸籍の重み——大学受験のために田舎に帰るか、外国に行くか?

この父親の「せっかくの戸籍と家のある幹部の娘を振るなんて」という嘆きは、正直、外国人には少々生々しく聞こえるが、北京の多くの人はそれほど驚かないだろう。この世代の親の間では、ある意味で標準的な言い方だからだ。結婚の話題で登場する名詞は極めて「中国の特色ある」言葉だ。そして、その代表格が戸籍だ。北京や上海などの大都市の「戸籍」は地方出身者にとって、大都市での正規住民としての権利を意味する。国際的にたとえるなら先進国の永住権に近い貴重な存在だ。

後述するEさんも「みんな北京戸籍の人を探す。それは教育、医療、就業面、いずれも社会資源は北京や上海などに集中しているから」という。まず、教育資源だが、中国のトップ名門大学の約4分の1以上が北京に集中している。そして、北京にある大学に一番入りやすいのが北京戸籍を保有する地元の受験生だ。「北京に戸籍を持っているだけで、大学受験の半分は成功したも同然」という言い方がある。これは一体どういうことなのか？中国の結婚に未だに大きな影を落とす戸籍。ここで、戸籍と大学受験制度の関係を見てみよう。

中国の戸籍と教育システムは以下のような縛りがある。北京市にはどんなに長く住んでいようとも、少なくとも両親のどちらか一方が北京戸籍を持っていない場合は、外省出身者（＝外省戸籍）の子どもと見なされ、北京での高校進学も、北京市枠からの統一大学入試の受験もできない。大学受験のテストは各直轄市・省単位で実施され、出題傾向と合格基準が異なる。つまり、同じ北京大学を志望しての受験でも、どの地域から受験するかによってテスト内容も合格点も変わるのだ。

このため、北京や上海など大都市に出てきて長く暮らしており、一定の財を築いた外省戸籍の商人などは、子どもを海外の大学に留学させるケースが多い。居住している大都市で子女を引き続き高校に進学させ、大学を受験させることは不可能なためだ。同様に、筆者の周りの中国人と外国人のカップルも、中国人の親が北京戸籍でない場合は外省人と見なされるので、子どもの高校・大学進学を機に、日本やアメリカへの移住を選ぶケースが多い。

繰り返しになるが、なぜなら、非北京戸籍の子どもには公立高校の入学資格と北京枠からの大学受験資格がないため、高校以降は両親の戸籍所在地の地方都市の高校に転校し、その省の枠から大学受験に参加するしか道がないためだ。その上、入試対策も省ごとに出題傾向が異なるため、田舎に帰って備える必要が出てくる。そのため、北京で生まれ育っても、北京戸籍がない場合は小・中学校からか、遅くても高校までには戸籍のある本拠地に戻ってご当地用の受験準備に励むのが一般的だ。

先日、筆者が乗った中国版Uberの「滴滴《ディディ》(DiDi Mobility)」の運転手は、出稼ぎに連れて来て北京の公立中学に通わせていた息子を、6月の高校入試を前に地元の重慶《チョンチン》市に送り返してきたと話していた。親は北京で出稼ぎを続ける。一方、子どもは戸籍所在地に住む祖父母に預けて、大学進学のために田舎で中学や高校に通わせる。北京ではよく聞く話だ。あまりに長いこと実施されてきているためか、このことに疑問や異議を持つ人には出会わない。

またこの運転手は、彼の知人の息子は北京の中学でまずまずの成績だったのに、田舎に帰って地元の高校に入れたら、授業に付いて行けなくなりドロップアウトしてしまったと語っていた。この数年、北京や上海などの大都市では、教育部の政策で学生の負担削減を謳《うた》うゆとり教育が始まっているが、地方ではまだ従来どおり差別化を目的とした暗記型テスト演習が厳しく行われているために差が出てしまったのかもしれない。もしくは、高校からいきなり転入して、地元の高校生活に馴染めなかった可能性もある。いずれにせよ、これが非北京戸籍の子どもに待ち受けている教育の壁だ。

結果として、北京で暮らしているものの、親に北京戸籍がない家族は、①一家全員で北京から田舎へ引っ越すか、②子どもだけ実家の祖父母や親戚に預けて田舎の高校に進学させるか、もしくは、③（国際結婚の場合は）外国人のパートナーの国に移ってその国の高校教育を受けさせるかになる。その結果、筆者の周りの家族でも北京を去るケースが多い。北京での進学はそのくらいハードルが高い。

細かい話だが、ルール上は、一度戸籍のある地方に移り、地方枠の大学入学試験を受けて、そこから北京の大学に進学することは可能だ。ただ、同じ北京大学や清華《チンファ》大学に入るために必要な合格点はどの省の枠から受験するかで異なる。地元の優遇があって人口比でゆったり目の北京枠から受験するのと、人口が多い省の省内ランキングでトップ50人などに入り込むのでは（試験問題が違うのでそのままの比較はできないが）、実質上の合格点も異なるからだ。受験生人口の多い省からの受験は北京市から受験するよりずっと難関だ。

†子どもの受験のために深圳の都市戸籍を！

例えば、22年夏に国営の中国中央テレビが製作したドキュメンタリー『人生第2回目』（第8話）で、深圳の工場で働く女性は、来年中学に上がる息子に「深圳に残って高校、大学に進んで欲しい」と語っている。同郷の子どもが（親と一緒に深圳で過ごしていたが、小中高のいずれかのタイミングで）田舎に送り返したところ、成績がガクンと下がり、大学にも行けなかったと聞いたからだ。「深圳に戸籍があれば、（高校統一テストの点は）460点で行けるけれど、非深圳戸籍の子どもは500点ないとだめ。だから、必ず私は深圳戸籍を取るわ。他はもう子どもの努力に期待するしかない」と出稼ぎ労働者の母親は悲壮感に満ちた様子で話す。日本でたとえるなら、東京都民の子と非都民で公立校の合格点が変わるのに等しい。

そして、深圳で戸籍を取ると言っても、彼女のような高卒者が取得するのは至難の業だ。戸籍申請には45歳以下という年齢制限と、政府の定めたポイント制で100ポイントの取得が必須だ。ポイント制には学歴や職歴、資格、納税状況など様々な評価ポイントがあり、それを点数化して判定が出される。

この女性は3年前に短大卒の資格を得て、60ポイントを取得した。毎年期限内に社会保障費を納入すると毎年3ポイント、最多で30ポイント得られる。しかし、40歳以降は毎年2ポイントの減点になる。45歳の戸籍申請のリミットまでに彼女に残された時間は3年。大学本科卒の資格がもらえる試験の受験と、別の資格取得の2つの道で戸籍獲得に必要な100ポイントを稼ぎ出し、深圳戸籍獲得の計画を立てているという。このように、子どもの教育と戸籍は固く結び付けられている。

†自家用車のナンバープレート180万円!

また、北京戸籍は北京市内の住宅を購入する際や、自家用車を新規に購入する場合に必要な車のナンバープレートの抽選・登録でも物をいう。戸籍がなくても申請は可能だが、難易度はぐっと高くなる。今や北京市は車の総量規制をしているため、ナンバープレートの入手は困難を極める。北京戸籍保有者でも、申請してから10年待っているという人もざらだ。

ここで、北京の交通の発展を振り返ってみよう。90年代の北京市内の幹線道路はどこへ移動するにもガラガラに空《す》いていた。北京市内の車両保有数は1997年は100万台に過ぎなかった。増えたのはその後だ。2003年に200万台、07年に300万台、09年に400万台と世界でも未曾有のスピードで北京市内を走る車両数は激増した。ピークは2010年で東京では18年間かけて増えた80万台をたった1年で増やし、あっという間に東京を追い抜いた。ここからも、北京の圧縮型の社会発展がうかがえる。

この時期の車の急増の背景には高度経済成長や人口増のほか、08年のリーマンショック後の景気回復策として政府がマイカー購入を奨励したこともあった。その結果、10年には5車線信号無しの第2、第3環状道路に車が数珠つなぎに並び、北京はメキシコシティと並ぶ世界最悪の渋滞都市となった（IBM2010年調べ）。大気汚染もこの時期に急激に悪化した。当時は筆者の周囲の幼児たちも咳で悩まされ、夜空を見上げても星はほとんど見えず、大気汚染は深刻だった。

こうして、一気に増えた自動車排気ガスによる重度の大気汚染と渋滞の対策に乗り出した北京市は10年末のある晩に突如、車の総数規制を導入した。その夜を境に北京市で新規に車のナンバープレートを登録するのは狭き門となった。20年の新エネルギー車のナンバープレート申請者数は46万人に上るが、その年に新規に発行されるのは抽選に当たった6万枚だけだ。ガソリン車はさらに難関だ。そして、21年末の北京市の自動車総数は685万台と、東京の442万台（21年）の約1・5倍の車がひしめいている。

このように、今やナンバープレートは北京市では基本的に抽選だが、上海市では競売で買うものだ。そして、驚くなかれ、平均価格は9万1000元、日本円で約180万円以上と高額に上る。競売には戸籍があれば、まずは参加できる。一方、ない場合は先の深圳のケースと同様に、税金や社会保障費の納入、学歴や職歴などの条件を満たせない限り、競売に参加することすら不可能だ。

また、医療資源をみても、全国のトップレベルの病院は全て大都市に集中している。就職機会も北京や上海は中小都市と比べれば豊富だ。

80年代までは個人旅行のために地元を出ることさえ地元政府の「許可」が必要で、都市部で自分で見つけた職に勝手に就くことなどあり得なかった不自由さと比べればましだが、このように戸籍による縛りはまだ残っている。

このように、戸籍の縛りがリアルであればあるほど、その縛りを断ち切る数少ないチャンスとして大都市戸籍の保有者との結婚が求められる。こんなシビアな事情がある。ちなみに、結婚によって自動的に大都市戸籍が取れるのはその子どもだけだ。中国では結婚後も原則、双方の本籍地も姓名も不変だ。外省出身者の配偶者に結婚を経て都市戸籍を授与できるのは中央省庁、軍や大手国有企業、有力大学などごく一部の高待遇の職場に限られる。

戸籍の縛りのある世界にすっかり馴染んでいる中国の人は逆に、「日本には東京戸籍などないの？　地方の人が東京に来て住んで東京の福利厚生を受けるのは自由なの？」と聞く。そうだと答えると、彼らがまず言うのは、「中国でそんなことをしたら、皆が都市に押し寄せて大都市がパンクしてしまう」ということだ。「だから（戸籍で制限するのも）仕方ない」というのが中国の人の大方一致した見方だ。

知人が話してくれた「相談」のエピソードはそんな中国の戸籍の重みを端的に表している。相談を受けたというのは、北京市在住で北京戸籍を持つ優良政府機関に勤める男性からだ。彼は外省に住む女性から「50万元（1000万円）払うから結婚して、あなたの配偶者として私のために北京戸籍を取得してもらいたい。戸籍が取れたら離婚する」と相談されたのだという。「10年前の話だから、今だったら50万元じゃ済まないかも」と彼女は付け加えた。発想の大胆さにため息が出るばかりだが、この辺の感覚はもう中国の人にしか分からない。

†結婚と住宅という一大プロジェクト

もう一つは「住宅」だ。北京の住宅は先も触れたように億ションも当たり前というレベルまで高騰しており、非常に大きな経済的負担になっている。しかし、これもお金さえあれば買えるわけではない。北京市で住宅を買って自分名義で登録するには北京戸籍保有者はすぐにできるが、無い場合は、納税や職種などをポイント計算し一定レベルに達している必要がある。

詳細は後述するが、最近の都市部の結婚では、結婚時に男が住宅を準備するのが当たり前という非常識な「常識」が急速に定着した。そして、先の中古物品交換グルチャでも触れられていたが「親の力」についても、両家でチェックし合うケースも今では珍しくない。

もう、こうなると愛でも恋でもなく、連想するのは合弁会社の契約であり、結婚前の話し合いはその「商談」に相当する。実際のところ、後述するように、現代の中国の結婚はどんどん両家という二つの経済組織が合弁会社を設立する「ファミリープロジェクト」の色彩を強めている。結婚前に初めて両家が顔を合わせてご馳走を食べる会食で最も重要な話題が「新居の不動産名義」についてという興ざめな風景はちっとも珍しくないのだ。第3章で後述するインタビューのなかではさらに婚活シーンの合弁化が先鋭化しているようすも伺える。

現在の若者の結婚を取り巻く中国の事情はこのように複雑だ。住宅を自分が用立てたのに結婚しない息子（Aさん）を嘆く父親に「Aさんを信じてあげなよ。結婚は彼が決めることさ」となだめるのは、Aさんより7歳年下で、改革開放世代に属する男性だ。たった7歳の違いだが、両者の感覚は大きく異なる。Aさんは90年代に日本と中国で同時に流行《はや》った日本のバスケットボールを題材にしたアニメ『スラムダンク』の大ファンだ。「（漫画から）人のあるべき姿を学んだ」とも言う。Aさんは私に「父は自分の後半人生を考えて、それに直接影響を与える僕の結婚に干渉しようとするのは分かる。僕の家も父が買ってくれたってこともあるし。僕の結婚は一家の財産問題に関わるから、親は干渉すべきだと思っているんだよ」と父親に理解を示す。家は自分で買うことも考えられるがやはり、毎月のローン返済の負担がかなり大変という。若者の結婚が彼の家族の財産問題に直結してしまっているのは何とも不幸なことだ。穏やかで頑張り屋の彼には、納得する良い相手に出会ってもらいたいと願っている。

†ギャップを笑いに――相乗りサービスと「母ちゃんの勘違い」

このように、子どもの結婚の実現を自分の責任の一つと考え、それ故に子どもに結婚を催促し、結婚相手候補を本人の了解を得ずに勝手に物色する。そんな親が典型的な一つのタイプとして存在する。先には文革世代の親に多いと紹介したが、こうした傾向はその世代より下の若い「70後（チーリンホゥ）」（1970年代生まれ）世代の親の間でも共通する。焦る親に子どもも呆れ、相互にイライラを募らせるというのは近年よく聞く話だ。

そんな親子の軋轢《あつれき》を上手にネタにして笑い飛ばしているのが、この数年、中国で人気の「トークショー」だ。お笑いを上演する全国のライブハウスは2020年には前年比で400%増加したという。また、大手企業のイメージキャラクターにもお笑いトーク人材が起用され、権威ある経済誌の『財新《ツァイシン》』も、2021年には経済や歴史学者と現役の芸人を混ぜてお笑いトークライブを開催したほどだ。まっすぐにものが言いにくくなる一方のこの国で、お笑いは洗練された市民の苦悩や違和感をカラッと笑い飛ばす貴重な表現の場となっている。

中国語ではトークショー（Talk Show）という英語の音を漢字にして「脱口秀《トーコーショウ》」と書くが、中身の原型はむしろ欧米のスタンドアップ・コメディ（Standup Comedy）だ。一人のトークで笑わせるモダンな笑いで、中国に昔からあるボケと突っ込みの二人の掛け合いの「相声《シイアンシオン》」や毎年、数億人が見る中国版紅白歌合戦の「春節聯歓晩会」で一番人気のお笑い寸劇（中国語で「小品《シアオピン》」）とも違う。演者が圧倒的に若く、若い視点で切り取った現代的なネタが従来の中国の笑いと一線を画す。ここでも、中国ならではのジェネレーションギャップの大きさが見て取れる。

一つそんなトークを紹介しよう。この演者は近年のトークショー番組で頭角を現した李雪琴（リ・シュェチン）。彼女は天下の名門、北京大学を卒業後、ニューヨーク大学大学院への留学を経て、北京で働く20代のエリート女性でもある。驚くのはトークショーの演者には彼女のような国際的な人材が少なくないことだ。彼女同様に有名な演者の呼蘭（フー・ラン）は米国コロンビア大学修士号取得者だし、清華大学卒業後デューク大学博士号を取った李治中（リー・ヂーヂョン）、復旦《フーダン》大学卒業後に英国ダラム大学で修士号を取り、英中日のトークをするNorah（諾拉）など有名な高学歴者演者は枚挙にいとまがない。ここからも近年の中国の人材の厚さや、中国の若者たちが続々と国際的なトップ教育機関へ進出している現状がうかがえる。

さて、この李氏だが、彼女の人気の秘密は北京大学卒なのにもかかわらず、気取らずに強い東北訛《なま》りで、けだるそうに振る舞う非優等生的なキャラクターにある。総じて、伝統的に中国のテレビ文化では、日本のＮＨＫのような優等生文化に輪をかけて、正義の見方で、前向きで、明るく快活でなければならないとされてきた。近年の引き締め政策の影響でこの傾向はますます強まっている。そうした優等生文化の強まりの中で、李氏は肩の力を抜いて自然体でデレデレしている。その意味で中国では稀有で、後述する「寝そべり族」のキャラにも通じる新しいタイプだ。

そんな彼女がよくトークのネタに取り上げるのが、遠い田舎で素朴な暮らしを続ける彼女の母親だ。母親は早くに彼女の父と離婚し、片親で彼女を育てたという。娘の方はキラキラの最高レベルの学歴を持ち、ニューヨーク生活も経験し、生き馬の目を抜く過酷な競争が渦巻く北京で働いている。一方、母親は中国の中でも発展が減速し、人口減も顕著な東北部の片田舎で静かに暮らす。そんな別世界で暮らす親元に娘が春節で里帰りした際に起きた親子の行き違いを描いたのがこの話だ。

中国の春節はかつての日本のお正月のように、都会で暮らす子どもが里帰りをする年に一回の特別な時期だ。里で子どもを待つ親は我が子の一年間の仕事とプライベートの成果を心待ちにしている。将来の嫁や婿候補を一緒に連れて帰ってくれば御の字だ。

横道に逸れるが、こんな親の強すぎる期待に「ウソ」で対応しようと、春節の帰省時期限定で赤の他人に有料で恋人役を演じてもらう「恋人貸出サービス」なるものが2017年前後に多く報道された。実際にそんな相手を雇って帰省したという人は筆者の周りにはいないが、一つの社会現象になったのは確かだ。ここでも両者の生きる世界のギャップをウソで埋めざるを得ない親子の関係が見られる。

娘の帰省に話を戻そう。このトークは、車の相乗りサービスを利用して初対面の男性数人と一緒に北京から田舎に帰省した際の話だ。もともと、中国で春節の里帰りの交通手段といえば十数時間をかけて帰る長距離列車を意味するが、春節の移動人口規模は延べ20億人とも言われ、列車チケットの購入は容易ではない。だから春節が近づくと、「(帰省の)チケット買えた?」が人々の挨拶になる。

一方、北京などでは2016年以降、中国版Uberに当たる個人用自家用車の相乗りサービスが浸透している。近年は都市内の移動だけでなく、省をまたぐ長距離移動を相乗りするサービスも登場している。今回、演者は初めてこのサービスを使って帰省した。ところが、田舎で暮らす母は、都会で流行りだしたこんな新奇なビジネスの存在は知らない。娘が男性と同じ一台の「自家用車」に乗って実家に帰って来たのを見てすっかり「婿がきた！」と思い込んでしまう。トークはこんな感じで進む。

母ちゃんは数人の男性が載った自家用車が我が家の前に着いたものだから喜んでしまって、「あんたもやるわね。本当に成長したわ！　男の人を家に連れてくるなんて、一体、何年振りよ！」と興奮気味。そして私を陰に引っ張っていって小声で「この人たちとはどうやって知り合ったのよ？」と聞くので私は「えっ？　ああ、ただの道すがらよ」と（母の想像とかけ離れた）答えを返すと、母は狐につままれたようにきょとんとしている。

また、一緒に乗って来た男性たちが気をきかせて一斉に車から私の旅行荷物を下ろし始めると、母は（男性たちを指して）感嘆してこう言う。「それにしても、何でこんなにいヽいヽいヽたくさん、よりによって一度に！」とやたらに感じ入っている。私はすっかり自分が持ち帰った旅行荷物のことを指して言っているのだとばかり思って「これくらい何よ！

お母さんへのお土産よ、お土産。本当はもっとあったのよ。これで全部ってわけじゃないのよ」と勢いよく言うと母は面食らってしまって「一体、今の若者って奴は（一度にこんなにたくさんの男性とお付き合いするとは）！　本当に理解できないわ！」と大仰天！

という下りだ。[4] 娘の早期の結婚を切に願う母と、日々生まれる新規サービスを利用して多数の見知らぬ男性と相乗りで里帰りした子ども。そんな双方のギャップを軽妙に語った内容だ。トークショーの会場では、身近に思い当たる節のある若い観客から笑いの渦が巻き起こった。このように、時代があまりに速く回転した中国の親子の間には世界でも最大級のジェネレーションギャップがある。若者たちの笑いもそんな社会を写し出している。

第２章

データで見る中国の恋愛、結婚、離婚と出産

日本で数十年をかけて徐々に起きた結婚や出生の減少が中国では短期間で急激に起きている。政策が揺れ動き、激しく変化する中国。写真は天安門の前を歩くカップル。2020年北京、photo=Maggie Wu

†減り続ける結婚

本章では、中国の恋愛、結婚、離婚と出産をデータから見てみよう。中国の合法結婚年齢は男性は22歳、女性は20歳だが、実際には農村部などではこの年齢前に事実上の結婚をするケースも珍しくない。一方、全体的に見ると、日本と同様に中国でも婚期は遅くなる一方で「中国全国国勢調査2020」[5]によると、全国の平均初婚年齢は男性29・38歳、女性27・95歳だった。2010年はこれがそれぞれ25・75歳、24・0歳だったので、たった10年間で4歳近く上がった計算になる。ちなみに日本で同様の初婚年齢の変化にかかった年数は男性は25・9歳（1950年）から29・8歳（2000年）まで50年を、女性は24・2歳（1970年）から28歳（2000年）までは30年を要している。[6]現代中国の社会変化が日本と比べていかに急激で、圧縮型なのかがここからも分かる。

また、初婚人数は最も多かった2013年の2385・96万人から、20年には1228・6万人とほぼ半減している。ちなみに激減していると言われる日本でも、同時期の2013年対比は18％減だ。本書「はじめに」で触れたとおり、中国の21年の（初婚だけでない全体の）結婚率（人口千比）も2013年の9・9から一気に5・4に激減している。

いずれにせよ、尋常でないスピードで中国の結婚が激減していることが分かる。

結婚年齢が遅くなっている理由は複合的だが、まずは、教育レベルの向上が挙げられる。中国の大学進学は90年代まではエリート教育のためのものだったが、2003年以降、中国の大学の定員数は大幅に増加した。08年のリーマンショックや22年のコロナ禍などで新卒者が就職難に襲われるたびに政府は大学側に学生を吸収するよう要請し、右肩上がりに膨らんでいる。教育部のデータによると、22年の大学院受験者数は457万人で、18年（238万人）から倍増した。また、21年の中国のトップ108校の大学院進学率は約44％に上る。[7]半分近くの学部卒業生が3年の大学院コースに入学し、中国の名門大学は半ば7年制になりつつある。

他にも、次章のインタビューにもあるように、激しい競争の中で働く20代、30代は忙しく、精神的にも余裕を持ちにくいことがある。さらに、これまで触れてきたように結婚に求められる高すぎる経済コストは若い男子の肩に重くのしかかる。膨らみ続ける住宅や結《ゆい》納金《のうきん》の負担と、それによる結婚の複雑化が若者を結婚から遠ざけているのは確かだろう。

また、意識の変化もある。一人っ子として育った若者は結婚にも縛られなくなってきており、以前のように「しなくてはいけない」とは必ずしも考えない。インタビューにもあるように、彼らが問うのは「シングルでも充実しているのに、なぜ敢えて結婚する必要があるのか?」という問いだ。それに見合う素敵な人に出会わないなら特に必要もないと考える。こうした感覚の持ち主はまだ主流ではないが、変わりゆく若者の感覚は日本の若者と急速に似てきている。

反対に、決定的に日本と違うのは中国の親たちの意識だ。文革時代を生きてきた現在の適齢期の男女の親たちは、日本の同世代の親とは全く違う。その上、中国の親は子どもの結婚全般に対して、もとより日本より大きな影響力を行使してきた伝統があり、近年はますますその力を増している。

増えるシングル世帯とお一人様経済

結婚が急激に減っている実態とその背景について見たが、その結果、中国でも急速にシングル世帯が増えている。2019年の中国のシングル人口は3億人とも、[8] 2億4000万人[9]とも言われ、21年の独居世帯は9200万人に達した[10]。

そのため、中国でも「お一人様経済」が登場し注目を浴びている。例えば、中国版TikTok「抖音《ドウイン》(Douyin)」の「独居日記《ドウジュリイジー》」の放映回数は52億回、「一人食記《イーレンシイジー》」は42億回に上る。また、中国版インスタグラムの「小紅書《シャオホンシュ》（RED）」のキーワード「一人《イーレン》」は290万回とそれまで同アプリの人気ジャンルだった口紅《コウホン》（270万回）、化粧《ホアヂュアン》（259万回）を上回ったという。[11]

また17年以降、爆発的に伸びているフードデリバリー産業のユーザーも35歳以下が全体の約4分の3に当たる76％を占める。ちなみに、フードデリバリーのユーザー数は21年末までに、全ネットユーザーの53％に相当する5億4000万人に上り、20年末の市場規模は6646億元、22年には9417億元（予測）と急成長している。[12]

同様に、筆者がよく行く北京市内の大手モールのレストラン街にお一人様用の焼肉プレートで食べる「和式高級」焼肉屋が開店したのも21年のことだ。ひと昔前の中国のレストランといえば、大きなテーブルでワイワイ食べるのが一般的だったが、都市部では東京のように一人用のバーテーブルのあるラーメン屋さんや一人用の鍋や焼肉を食べられる店が近年、続々と登場している。中国の都市部の若者のライフスタイルは世界中が経験したことのない速さで急激に変わっている。

†民法典で離婚にクーリングオフを導入

さらに、すでに述べたところだが、中国の離婚率(人口千対)は3・36(2019年、21年は3・1)と日本(20年、1・57)の倍に急増している。00年は0・96だったので、20年で3倍に増加した計算だ。中国での高い離婚率の背景にはいくつか理由がある。一つはまず、女性の社会進出が進んでいることがあるだろう。21年の女性就業率は90年(73%)と比較すると減っているものの、依然62%で(世銀2022、6月)、日本の53%(19年、厚生労働省)より高い。

中国の女性は経済的に圧倒的に自立しているので、不和になった際に我慢せずにすぐに離婚に至りやすい。また、気質の影響もあるかもしれない。中国の結婚を形容して、「一気に熱くなり、一気に結婚し、すぐ離婚する」と滞在歴の長い日本人の大学教授は指摘する。瞬時にする電撃結婚のことを「閃婚《シャンフン》」と中国語で呼ぶが、元より恋愛経験が少ないので、一気に熱くなって結婚するものの、上手くいかずにすぐに破綻《はたん》してしまうケースが多いようだ。

そして、もう一つ中国独特の極めて社会経済的な離婚要因がある。不動産購入のための偽装離婚が多いのだ。元々、中国の金融商品は未発達なこともあり、5年、10年で10倍以上に価値が高騰する不動産を金融商品代わりに資産運用・転売目的で利用する人が後を絶たない。「家は住むためのもの」と政府が大声を上げても投機的な住宅購入は一向に止まらない。その対策として政府が導入した住宅購入条件が、「夫婦が2軒目の住宅を購入するには1軒目購入から3年以上経過してから」という条件だ。この規定を掻《か》い潜《くぐ》って今、目の前にある優良不動産物件をすぐに購入したい場合、夫婦は離婚手続きをすれば、購入が可能となる。そのため、住宅購入目的の偽装離婚は中国の離婚の中で1割~2割を占めると専門家は指摘する。

厳格にいうと、不動産購入に関する規定の詳細は各都市で異なる。例えば北京市は同市内の不動産購入に関して、北京戸籍の夫婦は2軒まで、単身と非北京戸籍の夫婦は1軒までと制限してきた。そこに、前記のような偽装離婚によるすり抜け対策を念頭に、2021年8月には（既に住宅を2軒以上所有している夫婦に対して）離婚後3年以内は、全ての新規住宅購入を禁じる新たなルールを導入した。

日本で不動産購入のために偽装離婚をするケースはまず聞かないが、中国の人は実用主義的に「制度は賢く利用すればよい」という認識が強いのか、後ろ髪引かれるようすは毛頭ない。さらに、中国は元より夫婦別姓のため、離婚しても役所の書類を見ない限り、外から家族関係の変化は分からない。見方を変えれば、これは通常の離婚の際に女性にとってはありがたいルールでもある。中国では、結婚しても全員が夫婦別姓だ。日本の働く女性からすると羨ましい名前事情がある。[13]

このように、不動産購入条件が結婚の有無と結び付けられていることから、逆に偽装離婚が増える傾向にある。その分、中国の離婚率は実態よりも膨らみやすいのだが、それを差し引いても、中国の離婚率は日本以上に高く、急速に増えていることに違いはない。

一方で、2021年の離婚率（人口千対）は19年比で見ると3・1と若干減少した。中国の法律専門家は、その理由を以下のように指摘する。まず、コロナ禍による夫婦の収入減を受けて、新生活を開始する余力がなくなり、双方が離婚を控えたこと。次に今述べた不動産購入自体が大幅に減ったので、それに伴って発生していた偽装離婚数も減少したこと。

さらに、離婚率抑制のために21年1月に導入され、民法典に加筆されたクーリングオフの効果が出ているという。クーリングオフ（中国語で「冷静期《ランジンチー》」）とは、離婚手続き申請後の30日間、手続きをいったん凍結し、当事者二人のいずれからも離婚手続きの撤回を受け付ける「冷却期間」の導入を指す。そしてそもそも、基数になる結婚者数が減っているので、それに伴って離婚も減っているという。これら4つの要因により21年は前年比で若干離婚率は減っている。今後この減少傾向が続くかはまだ不確かだ。

†急速に進む少子化――既に日本以上

結婚数が激減し、婚期が急速に遅くなり、離婚が急増しているのだから、当然のことながら出生人口も激減している。中国国家統計局の2022年1月の発表によると、21年末の中国の総人口は14億1260万人となり、20年末から48万人の増加となった。17年の増加数は779万人だったので、この4年で総人口は増加から減少に転じつつあるのが分かる。

また、21年の出生数は1062万人と、17年以降5年連続で減少し、出生率[14]は0・752%で、1949年以来の最低を記録した。

出生率をみると、「一人っ子政策」下の00年〜15年は1・190〜1・457%の間で推移していたが、後述するように、全面的な「二人っ子政策」に転換した16年以降も出生率はむしろ低下の一途をたどっている。16年は1・357%と持ち直したが、その後は、

1・264%(17年)、1・086%(18年)、1・041%(19年)、0・852%(20年)、0・752%(21年)と右肩下がりだ。同時に中国の労働人口は15年にピークを過ぎている。

また、1人の女性が一生の間に生む平均子ども数を推計した合計特殊出生率も低下している。合計特殊出生率は2・1程度で人口が横ばいになり、1・5を少し下回ると「緩やかな少子化」、1・5を大きく下回ると「超少子化」といわれる。中国では、2000年以降は1・6前後で推移してきたが、21年5月に公表された『中国全国国勢調査2020年』では、20年は1・30に激減した。なお、同年の日本の合計特殊出生率は1・33、21年は1・30だったので、中国も日本同様に「超少子化」へ一気に突入したことを意味している。

ここで、世界に目を移してみると、2020年次の韓国の合計特殊出生率は世界最低水準の0・84、台湾は0・99、シンガポールは1・10、イタリアは1・24といずれもかなり低い[15]。一方で、地球全体で見れば人口は既に80億人に膨らみ、このままでは2050年までに97億人に達すると予想され、少子化どころか人口は爆発的に増えている(2022年国連人口統計)。つまり、グローバルに見ると、少子化は先進国へと発展するプロセスが内包する先進国病である。

中国における少子化も世界的にみられる発展プロセスの一環と言えそうだ。「少子化は、社会が豊かになって中間層が拡大し、権利意識の向上がもたらされると生じる『必然的な帰結』」と指摘するのは赤川学・東京大学大学院教授だ（『世界少子化考』[16]）。「少子化は、最大のボリューム層である中間層が、自分の生活水準や子供の教育水準を高めて他人に勝りたいという欲望を持ち、将来の生活を考えて出産制限することが原因の一つになっています。また、都市部に住む人は豊かな生活スタイルを好むので、都市化が進むと子供が減りやすくなります」という。確かに、中国の都市化率は未曾有の速さで、２０００年の36・０９％から21年には64・７２％（いずれも大都市の常駐人口比）に急増している。過去20年間でざっと４億人が都市化した計算になる。

くり返し述べているように、中国では独自の要因が存在する中で他国には前例のない時間を圧縮する形で超特急の近代化が起きている。つまり、中国的要因によって世界的にみられる少子化傾向が凝縮され、世界の潮流を先取りする形で進行しつつあると理解するのが妥当かもしれない。

国家統計局の寧吉喆局長は、出生数が減少した要因について、①出産適齢期の女性人口の減少、②結婚・出産年齢の上昇、③出産・育児・教育に関わる費用の増加、④新型コロナウイルスの影響による結婚・出産計画の遅れを指摘している。2021年の15〜49歳の女性人口は前年比で約500万人減少しており、そのうち21〜35歳の女性人口は前年から約300万人減少している点を挙げて説明している。これは、農村についての第5章で詳しく述べるが、男尊女卑の伝統の残る農村で一人っ子政策を行った歪みの遺産である。

もちろん、これらの不自然な人口操作の影響も大きいが、その他に、中国の少子化の元凶として挙げられる主要要因は住宅費と教育費用だ。住宅費については、後述する通りで給与比では東京の2倍と世界最高峰レベルまで高騰している。また、教育費用については、上海社会科学院が上海市静安《ヂンアン》区と閔行《ミンハン》区で行った調査では、生まれてから中学卒業まで子どもにかかる家庭の総費用平均額はそれぞれ84万元、76・31万元で、うち、教育費は51万元（1020万円）、52万元（1040万円）だった。これはほぼ、先進国で大学を出すのに必要な額に相当する。

また、滙豊《ホエフォン》銀行（HSBC）の2017年の調査によると、中国の家庭教育支出は4万2892ドルに達し世界5位。93%の親が子どもに家庭教師をつけることを選択し、この比率は世界1位だった。また、2017年の「中国家庭教育消費白書」によると、7歳から18歳の子どもの家庭教育支出は全家庭支出の20・8％を占めたという。塾禁止令の項で紹介するように、中国の親にとって子どもの教育は精神的にも、経済的にも非常に重い負担になっている。

†禁止から奨励へ揺れ動く出産政策

出産政策において、中国政府は少子化対応へと遅ればせながら動いた。これまで長年続いた出産制限を２０１４年には夫婦のどちらか一人が一人っ子のカップルに、16年には、全ての夫婦に２人目の出産を認める「二人っ子政策」を実施した。しかし、お上の期待に反して前記の通り出生率は17年を除き、５年連続で減少した。それを受けて、政府は21年５月の中央政治局会議で夫婦１組につき３人までの出産を認める。ここに来て、「複数生んでもよい」から「どんどん生んでくれ」という奨励策に転じ、同年７月には「出産政策の最適化による人口の均衡ある長期的発展の促進に関する決定」を公表するに至った。現在は地方政府ごとに後述するような出産奨励策を出し始めている。また、国公営の組織の人事評価では、昇進基準に子どもの多さが加味される職場も出ているという。振り子のように揺れる政策に市民は振り回される。

ここで、さらにもう少し、時代を遡って中国の出産に関する政策を振り返ってみよう。1949年の建国以後、改革開放までは人口増は国力に貢献すると奨励され、平民を人間の盾として「人民の海に敵軍を埋葬する」「人海戦術」が取られた。50年代末に（毛沢東が推し進める）人海戦術による人口爆発に警鐘を鳴らした人口学者で北京大学総長の馬寅初（マー・フーチュ）が、毛沢東の怒りを買い職を追われたのは有名な話だ。それから二十数年経ち改革開放直後の79年になって、人口爆発による経済・環境的負担への懸念から子どもは国の「負担」へ一変した。

そして政策は、1夫婦の子どもは1人に限定する一人っ子政策へと舵を切る。子どもを2人以上生んだ夫婦はその子のために国家が余計に捻出する費用を自己負担することが義務付けられた。この費用は「社会扶養費」という名の罰金だ。この「生んでしまった親」に対する罰金はごく最近まで存在し、筆者の周りでも多くの友人たちが払ってきた。

例えば、00年代から16年に廃止されるまで中国で2人目の子どもを戸籍に登録するために必要な「社会扶養費」（一人っ子政策違反の罰金）は居住地の平均年収の6〜8倍だった。2人目の子どもの医療保険加入や小学校入学に必須となる戸籍登録には、政策に違反して2人目を「生んでしまった過ち」について申請し、罰金を支払う必要があった。この罰金逃れのために、当時は多くの子どもが戸籍に登録されないまま「黒戸籍《ヘイフーコウ》」の子どもとして育てられた。筆者の知り合いにも、「いずれ、もう少し粘れば一人っ子政策は終わる。そうなれば、罰金はチャラになる」という読みのもとで、北京市で子育てをしていながら、第2子は小学校に上がる6歳まで戸籍に登録しないで「闇の子」として過ごしていた友人もいた。また、中国でこの罰金を払うくらいなら、アメリカに行って違反を問われない「アメリカ人」として生んだ方が得と、渡米して出産する富裕層も少なくなかった。当時の平均年収の6〜8倍、つまり10万元（約200万円）以上になる罰金を払うくらいなら、渡米仲介業者や米国での出産費用を払った方が元が取れるという計算による。

また、第2子以降の戸籍登録には年収の6倍以上の罰金のほかにも、「過ちの原因」その他について記入・申請する必要があった。そこには、「避妊に失敗したため」という申し開きが一般的に使われた。中国では理不尽なルールの下で生きるために、「創造的な」ウソをつく技術が嫌でも身につく。慣れていない日本人は度肝を抜かれてしまうが、中国の人々はびくともせずにそれがお望みであれば何であれ書類に書き込んで処理する。「上に政策あれば、下に対策あり」。この国の市民はたくましい。

また、世界的に著名な映画監督の張芸謀（ヂァン・イーモウ）は2001年の第一子に続いて、04年と06年に生んだ第2子、第3子の出産違反に対し、14年になって突如、748万元（今の円安レートで換算すると約1億5000万円に相当！）の巨額の罰金を科せられた。罰金額は、彼の実際の年収を基に計算されたという。その巨額さとタイミングのずれはいずれも、日本人には不可解だが、彼は中国脳で計算し、戦うよりも払う方が総合的に得という算盤で支払ったのだろう。日本人とは全く違うロジックが中国にはある。

90年代からタクシーの運転手との会話などでも、二言目に彼らが嘆くのは「人が多すぎるんだ！（中国語で「人太多了《レンタイドウォラ》！」）」という捨て台詞だった。中国の発展のボトルネックは全て人口の多さに起因するという認識が、市民の間では広く共有されていた。

それが、2016年末には2人目の出産も容認されるようになり、37年続いた一人っ子政策は突然幕を閉じた。そして、21年には3人目の出産も可能となり、中国では、一転して国の将来のために子どもをたくさん生もうと奨励する新しい時代がやってきた。

ところが、自分自身もきょうだいがいた世代で元々高い出産意欲があった70年代生まれの母親たちはその時は出産リミットとされる40歳を過ぎており、2人目の出産には間に合わない。それより下の80年代、90年代生まれの世代はほとんどが自分自身も一人っ子だったこともあり、きょうだいのいる家族は遠い存在だ。当然のことながら、出産意欲も高くない。こうして現在、中国も日本と同じく深刻な少子化局面を迎えている。

†少子化対策としての塾禁止令

前述したように、21年に入り、中国政府は本格的に少子化対策に乗り出した。21年7月には「出産政策の最適化による人口の均衡ある長期的発展の促進に関する決定」を公表し具体的な子育て支援策を打ち出した。主には子育て世代に対する休暇制度の大幅拡充と、出産・育児・教育コストの軽減実施を挙げている。

そして、もう一つ、この政策の発表直後の21年7月に中国政府は小中学生の学習負担の削減を目的とした学習塾禁止令、「義務教育の生徒・児童の宿題負担と校外教育負担を一層軽減することに関する意見」を出した。小中学生の学習負担削減や塾負担と少子化がどう関係しているのかは、日本の読者にはちょっと分かりにくいかもしれない。

まず、挙げられるのは、大学受験に向け小学校から始まる受験競争の熾烈さだ。その上、中国の公立校では、子どもの毎日の勉強と宿題に責任を持つのは親の役目とされていることも関係している。親が自分の子どもの教育に元々熱心なのと、先生も生徒に指導するより親に直接宿題を出した方が、管理の手間が省けると考え、そうするのが中国の公立校の現場では主流になってきた。驚くことに、中国では中学生になった後でさえその日の宿題リストと前日の宿題完成状況やテストの結果が親のスマホに毎日送られてくる。万が一、子どもの宿題のできが悪かったり、テストの成績が悪かったりした場合、先生は即座に親を呼び出すのが中国では普通になっていた。

そのため、親にはただでさえ反抗期で扱いにくい子どもに付きっきりで宿題を監督する任務がのしかかる。学校で出される大量の宿題をめぐって、親子ともどもヒステリックに揉《も》める、という悲惨な「宿題事件」が中国全土で発生し、社会問題として注目を浴びるようになってきた。筆者の近隣からも、夜になるとヒステリックに小学校低学年の子どもに勉強のことで激怒している母親の声が聞こえてくる。つまり、親にとって、小中学校の宿題が多すぎて、その指導に手間がかかりすぎることが、大きな子育て負担の一つと認識されるようになっていたのだ。そして、共働きが多い中国では、その分を塾講師に託す家も多く、塾産業は学歴社会の圧力下で急速に発展していた。こうした背景の下で政府が立ち上がったのが、この宿題負担の軽減と校外教育の削減という二つのタスクだ。

2021年夏に出された同政策により、小中学校の学習塾は一斉に閉鎖された。つまり、数千億元（日本円で数兆円）規模の教育産業と1000万人とも2000万人ともいわれる塾産業関係者の雇用が一夜で消えたのだ。これは読者も記憶に新しいだろう。

産業をまるごと禁止してしまうというあまりの乱暴さに耳を疑い、驚いた一方で、筆者も複雑な思いはあった。なぜなら、確かに、北京で地元の学習塾を見ていると、中国の塾サービスの高級化は加熱する一方だったからだ。中国の消費レベルは「はじめに」でも触れた通り、住宅に至っては東京の2倍以上など、様々な領域で急速に値上がりしているが、子どもの塾費用も同様で、日本以上に高騰していた。日本の塾費用も決して安くはなく、一般家庭の家計にとって負担になっているはずだが、中国の塾と比較すると「良心的」とさえ思えてくる。そのくらい、北京の塾費用は阿漕《あこぎ》な商売で、高騰していた。そこには明らかに「お金があれば、良い先生に指導してもらえて楽に高い点が取れる」という公式が成り立っていた。金が物を言うという不公平感は子どもも感じ取っていたはずだ。

例えば、周囲で「効果がある」と評判だったのが懇切丁寧に一対一で小中高生を対象とする高級個人指導サービスだ。授業を行う場所は学生宅ではなく塾だが、サービス自体は家庭教師と同じで、最も質の高い個人指導に当たる。この学費は1回2時間（実際には45分授業が2コマ）で1000元（約2万円）前後。1カ月の学費はこれだけでもざっと8万円、例えば数学と物理の2教科を受講したらその倍になる（北京の高校統一入試には国数英と並んで政治と物理が必須科目だ)。さらに、驚いたのは、中学3年生の高校受験直前になると現れる、真偽は定かでないが、受験問題作成に関わっているとか、名門中高の現役教師であると自称する「特別な先生」による試験直前指導の学費の高さだ。「点数を5点、10点上げる」ことなどを約束する「成果請負い型」の一方で、1時間で3万円以上の学費もざらだった。焦る親心を逆手《さかて》にとって、名門に入るためなら金にものを言わせて当然、という空気がみなぎっていた。

このほかにも、子どもたちは小学校低学年の頃から、英会話にピアノ、ダンスや習字に水泳、武道、プログラミング、司会者・アナウンサー発声術などあらゆる分野の習い事をしており、同じマンションには、月曜日から日曜日まで、土曜日以外はぎっしり習い事が詰まっているという小学生もいた。学習塾は禁止されたが、小中学校の学科以外の塾は規制外だ。そこで早速、高校統一試験で配点数が増えた体育の実技テスト対策の塾も、最近は増えている。体育に至るまで偏差値評価され、塾通いが流行《はや》るのだから小中学生は本当に大変だ。

そして、これらの塾の学費を捻出していたのは、裕福な家庭だけでなく一般家庭も同じだ。さすが、中国は教育を重視する社会だとお思いの読者もいるかもしれない。子どもの

「教育」を重視することは本来良いことだ。

ただ、それが「学歴」重視になると中身は別だ。さらにその「学歴」が重視されるのは、角度を変えてみると、子女教育を子どもの人生の「成功」への確実な手段と捉え、また、子どもの成功は一族の繁栄、ひいては親の老後保障のための「先行投資」と捉える。そうしたこの国の伝統的な家族運営の知恵とも関係がありそうだ。政府による医療や高齢者保険などの社会保障が未発達で1000年以上の科挙試験の歴史をもつ中国では、子どもの「学歴」確保は、親にとっては、その子が将来出世し潤沢な経済力を持ち、老いたときに自分の老後を保障してくれる数少ない確かな道と位置付けられてきた。人々の間にはそうした考え方が「生きるための知恵」として根付いている。

また、中国の教育システムを俯瞰《ふかん》してみると、少々乱暴な言い方だが、一番の目的は多様な人材を「育てる」ことよりも、ごく一部のエリートを「選別する」ことを念頭にデザインされている。最近は教育改革に伴い、歪《ゆが》みが改善され個別には良い先生も増えている。しかし、数年前までは、中国の小学校の先生は成績の悪い子を本気で「迷惑者」扱いしていたものだ。「私の担当するクラスで良い成績を出せない生徒は、早く転校してほしい」というのが多くの先生の本音で、実際に、転校を迫られた子どもを筆者も見てきた。クラスの理解のゆっくりな子を親切丁寧に多面的に指導する日本の公立小学校とは対照的だ。

その代わりに、公立学校の教育が優先するのは一部のエリートを「選抜・輩出」することとテストの点の向上だった。それは、まさに日本で言うなら、結果を出すことを期待されている放課後の私塾に相当するだろう。中国では、公立校であっても、広く多様な人材を「育てる」ことまでは手が回らない。そして、先生自身も生徒の成績次第で人事評価される競争に晒《さら》されている。じっくり手間暇かけて多様な子どもを「育てる」余裕はない。これが筆者が感じたアッケラカン競争社会、中国の公立小中学校で支配的な文化だ。教育心理や児童心理などは中国ではまだ普及し始めたばかりの新しい分野だ。現在教壇に立っている先生自身も子どもの心理を大切にする教育とは無縁で生きてきた人たちが大多数である。

また、中国が不思議なのは、これほどまでに学歴を重視していながら、先生の社会的地位は日本以下であることだ。塾の禁止令のインタビューで新婚の塾講師が言っていたのが、本当は小学校の先生になりたかったが、給与が低すぎてマンション購入の負担などを考えて諦め、塾の教師になったという経緯だった。ある子は、自分の小学校の先生が「本当は警察官になりたかったが、なれなかったので、小学校の先生になった」と生徒に話していたと語ってくれた。中国の公立小中学校の先生の生活は決して楽ではない。

このように、教育システム全体は、「エリート選抜色」が色濃く残る中、中国の大学は2003年以降、門戸を一般人にも広く開き、規模的には一気に「大衆化」した。合格者数では1980年には28万人だったのが、2020年には約35倍の967万人に急増。狭き門だった大学は21年の高等教育純入学率は57・8%と日本の54%を上回り、在学生総数は4430万人[17]に増加した。また、21年の大学院受験者数は377万人（うち111万人が合格）に上る。

中国の大学で教鞭を執る大学関係者によると、今では、大学や大学院は就職難の学生を一時的に吸収する就業バッファーの任務を負っているという。新型コロナウイルス感染症の影響やIT産業の陰りなどで就職市場が厳しい今年、22年の大学院生試験受験者は学部卒業生の約半分に相当する457万人に上る。うち6割が就職難と就職での競争力向上を大学院進学の理由に挙げている。

こうして、14億人の大衆総参加の下で名門校をピラミッドの頂点とするエリート選別教育が全国で実施されている。学校は基本的に「振り落として」「優秀な人材を選抜する」ことが目的なので、ついていく学生は大変だ。小学校低学年の頃からひたすらテスト問題の演習に勉強時間を費やす。熾烈で苦しい競争で少しでも有利に立つために、塾サービスを利用したいというニーズは全国に存在する。消費者側の購買力の向上とともに、塾サービスの費用もうなぎ登りに上がっていき、気がついた時には全国の家庭にとって精神的にも経済的にも非常に重い負担となっていた。

†禁止歓迎の声とそれでも変わらないもの

少子化を止めたい政府は、加熱する競争と正比例で増加する親の教育負担を一刀両断の塾禁止令によって抑え込もうと大なたを振るった。21年の夏以降、周囲の小規模の塾はもちろん、大手塾も次々に破産に追い込まれた。筆者の子どもが通っていた北京有数の大手塾も破産し、前払いした学費も実質的には払い戻されないまま、不必要な景品交換という形で泣き寝入りするしかなかった。多くの有名塾が入居していた北京大学近くの雑居ビルは、数軒の習字・ペン字教室や留学指導の代理店などがほそぼそと運営を続けているほかはガランとしている。

知り合いの河北省出身で北京の大手塾で働いていた20代の塾教師も、1カ月の給与未払いのまま雇用主から放り出された。家賃の高い北京の生活維持は不可能になり、新婚の奥さんと田舎に戻っていった。このように、予測が不可能で政策が大きく振れるこの社会で、人々は黙々と生活を続けている。それがギリギリながらどうにか生活を続けていられるのは、日本で知られているように抗議を表明する他の選択肢が許されないという厳しい事情が根本にあるが、それ以外にも、中国における人的ソーシャルセーフティネットが日本より頑強であることもある。いざという時に本気で助け合う「仲間」を中国の人たちはまだ持っている。そして、良くも悪くも、激動の時代を生きてきた彼らはこうした予測不可能な苦労に日本人より「慣れている」こともあるだろう。彼らにとって「非常時」はいつ降ってきてもおかしくない身近な存在だ。

一方、この乱暴な禁止令を歓迎している人もいる。中国版Uberに当たる「滴滴《ディディ》(DiDi)」の運転手として北京に出稼ぎに来ている40代男性に禁止令に対する評価を聞くと、「あんな塾は閉鎖されて当然よ」と息巻いた。「元々、金持ちの子どもだけが通っていた1カ月に1万元（約20万円）もするような高い塾に今度は貧乏人の子どもも一緒に無理して通い始めたんだから禁止されて当然よ！」「塾が閉鎖されたら良い先生も公立校に戻って来るだろう」と夜中の北京の道を走り抜けながら勢いよく語る。

河北省の地元で妻と暮らす「成績が良い」中学2年生の娘には大学に進学してくれるよ

う期待しているという。ただ、学費が数千元もする塾に通わせるのは毎月約7000元（約14万円）の稼ぎの彼には厳しい。そんな彼にとって塾禁止は正に胸がすく出来事だったようだ。彼が指摘するように、公立校の教師の給与は高級塾の半分から3分の1以下だ。良い教師人材が塾に流れてしまっていたというドライバーの指摘も一理ある。

しかし、肝心な問いは、塾は禁止令で本当に無くなるのかどうかだ。禁止令から一年経った今、筆者のところには高校受験対策の塾の勧誘電話が引っ切りなしにかかってくる。点数を1点でも多く取り、良い高校、そして良い大学に行かせたいという親のニーズは以前と比べて何ら変わらない。昨年は北京市教育局の肝入りで学費を抑えた「公立のネット補習塾」なるものが立ち上げられたが、それも数カ月でいつの間にか立ち消えになってしまった。

そもそも、大学入試の点数だけで「人生の成否」が決まると全国民が信じるゲームのルールが変わらない限り、家庭の教育コストの問題を解決するのは難しいだろう。中国で加熱する教育熱は、目下は禁止令という突然の冷や水で下火になっている。親の精神的かつ経済的な教育コストが本当に無視できる程度まで抑制される日が来たら、それはこの国の親たちにとって大きな負担からの解放になるはずだ。しかし、均一化されすぎた一つのゴールを億単位の人が目指す過酷な受験競争が続く限り、この火が消えることもないだろう。

†急がれる産休制度の拡充と進むイクメン

もう一つ、少子化対策のために早速実施された方策が休暇制度の拡充だ。一般的に中国の産休は98日間の国の法定産休に地方政府がそれぞれ定める生育休暇を合わせた日数分の休みとなる。例えば、北京市は以前は30日だったが、今回の拡充で60日に延長されたので、98＋60＝158日分の休暇が取れるようになった。雇用主との相談次第でさらに3カ月の延長も可能だ。また、子どもが3歳になるまで、夫婦で合わせて毎年10日の有給育休が取れるようになった。しかし、日本と比べても、5〜8カ月の育休は長いとは言えない。これでもどうにか社会が回っているのは、逆に両親などの家族や家政婦などによる育児支援が中国では得やすいからだろう。

中国人口学会会長・中国人民大学人口・発展研究センターの翟振武主任は、人々の出産意欲を高めるためには出産・育児・教育コストの削減のほか、産休以外にも毎年一定期間の育児休暇を設けることや、女性に配慮した柔軟な雇用政策を実施し、家庭と仕事の両立を支援するべきだと指摘している。[18]

一方、少子化対策で中国の方が先んじている面もある。2000年以降、中国ではイクメンが推進されており、男性も子どもの出産に際して「看護休暇」が取れるようになっている。15日の育休の権利があり、実際に北京の周囲の男性たちを見ていても、約2週間産休を取るケースが定着している。もともと、中国の都市部では、男性が育児や家事を担う習慣が根付いている。中国の方が日本よりも夫婦共働きの歴史が長く、共働き家庭の家事分担も年季が入っているのでイクメンに関しても自然に浸透しているのだろう。

北京で働く30代の日本人男性駐在員は、彼の中国人女性部下から聞いた夫たちのようすに驚きをもってこう語る。「3人いる20代、30代の女性社員の家では、みんな、夫が食事も洗濯も掃除もするらしいです。そのうちの一人の旦那さんは仕事もしっかりやって、たくさん稼いでいるけれど、奥さんはただ居てくれるだけで良い、という感じだそうですよ。日本じゃあり得ない！」と。中国の男性は家事をする父親を見て育っているので、家事をやることを特別と思っていないからかもしれない。やはり、育った環境の影響は大きい。

また、中国は広大なので文化の差も大きく、実態はもっと複雑だが、一般的には、北へ行くほど豪快ながら、保守的で男性中心主義の傾向が強まり、上海以南の南へ行くと、男性の女性に対するフォローが増すと言われている。中でも、上海の男性の「優しさ」は有名で、「今日の夕食は何が食べたい？」と妻のオフィスに毎日のように夕刻に電話してくる夫君もいると聞く。

江蘇省出身の30代の知人も、家庭で食事は歴代彼の祖父と父が作って来たので、彼も自然に作るという。仕事で彼が外食の時は、いったん家に戻って奥さんの食事を予め作ってから出かけるという。こんな感じで中国の男女の役割分担のスタイルは日本よりずっと多様性があり、日本も参考にしたいところだ。夫の家事への参加度は、子どもの数に影響する傾向があることも既存の調査で明らかにされている。家事は性別ではなく、その時できる人またはやっても良いと感じるほうが分担し、互いにその貢献を感謝し合うのが最も上等な分担法かもしれない。

第 3 章

北京で聞きました
――20代、30代の恋愛観と結婚観

親子の結婚観にもギャップ?　北京の若者たちの胸の内を聞いた。写真は「80後」世代に大人気の漫画『スラムダンク』。2020年7月上海、photo=CFOTO／共同通信イメージズ

このように、中国では日本の30〜50年分の婚姻のかたちの変化がこの十数年に圧縮されて起きている。中国の結婚数は減り、離婚数は増え、その結果、少子化は長年心配されてきた日本を上回る深刻さに達している。政府もそうした事態に対し、乱暴とも取れる墊禁止令を始めとして、さまざまな対策を打ち出している。結婚率や出生率の減少は世界的に見られる傾向だが、中国の場合はそのスピードが尋常ではない。これだけ急速に変化する中で、中国の人たちは如何《いか》にこの状況に対応しているのだろうか？　次は親子のギャップに軸足を置きながら、結婚、離婚、そして子育ての当事者である中国の若い人々たちの声を紹介しよう。

北京で暮らす若者と彼らの親の恋愛観や結婚観、理想の結婚とは一体どんなものなのだろうか？　北京の人たちにざっくばらんに彼らの胸の内を聞かせてもらった。

†Aさん 30代：独身音楽関係者「日米のアニメを見て育った僕らと親の溝は深い」

文革世代の親をもつAさんと親との結婚観の違いについては、前述した通りだ。北京の名門大学を出て、米国の大学院に進んだAさん。以前に付き合っていた彼女は、学歴がAさんより下だったことを理由に、親が交際に執拗に反対し、結局別れてしまった。その後、親は「より良い条件」の女性をAさんに紹介したが、Aさんと価値観の合う人にはめぐり会えず、目下は独身だ。

親とのジェネレーションギャップについて聞いたところ、Aさんは「溝はかなり深い」という。「お互いに文化的に全く共感できない。僕たち1985年から95年の間に生まれた人たちは特にちょうど中国が欧米や日本文化を一番良いものとして全面的に受け入れた時代に幼い時期を過ごしたんだ。その頃は米中関係も日中関係も一番良い時期だったしね。だから、小学校が4時に終わって家に戻り、宿題を終わらせて6時にテレビをつけると『ドラえもん』とかのアニメが放映されていて、これを見るのを毎日楽しみにしていたんだ。それはとても幸せな時間だったよ」と語る。

「一方、父たちにとってのヒーローは毛沢東だったから、改革開放で彼が信じるものは音を立てて崩れ落ちた。それは、多分、日本の人にとっては第2次世界大戦の終戦時のようなショックだったんじゃないかな。それまでは利益を得る方の人間だったのが、時代が崩れてきっと帰属感も失ったんじゃないか？　彼らは自分の子どもがそれまでの『敵国』だった海外のアニメを見て何をそんなに喜んでいるのか多分理解できないんだろうよ」という。

Aさんは60歳を越えた父親の生涯を振り返り、父親が今のような結婚観を持つ背景も最近は理解しようと努めているようすだった。ただ、実際に自分が結婚する相手選びとなると、「最低限の価値観が一致しない限り無理」なのは当然だろう。親を理解しつつ、自分も妥協せずに尊敬できる相手を求めているAさん。良い人が見つかることを願っている。

†Bさん 30代：独身企業家「婿を評価する一覧表に驚愕」

「親とのジェネレーションギャップは感じますか？　あるとすると何が一番大きい？」との質問に「全てが違う。親と共通するものは何一つないよ」と遮《さえぎ》るように答えるBさん。彼は中国国内のトップ名門校の学部と大学院を卒業後、米国スタンフォード大学院で理系の2つ目の修士号を取得した30代のIT金融企業経営者。若くしてお金に困らない生活を手に入れ、数年後には退職も考えているが、毎日の仕事は緊張と多忙の連続。今に満足しているわけではない。

80年代は先にも触れたとおり、中国は文革の傷から立ち直り、新しい体制で世界に追いつこうとがむしゃらに走る時代だった。「僕らが日本のアニメの『ドラえもん』や『スラムダンク』、『聖闘士星矢《セイントせいや》』などをテレビで見て喜んでいるのを親は全く理解できない」と

Bさんも言う。中国はまだ貧しかったこともあり、輸入されてきた海外作品は当時は「(僕らには)輝いて見えて憧れた」という。

一方で、親は全てが国営や公営の社会で生きてきた世代。「特段に努力しなくても国営の職場で上司に気に入られて、割り振られた通りの安定した生活をするのが唯一彼らが知っている人生」という。一方、改革開放後の80年代は、チャレンジの時代。「僕たちは努力すれば何かを達成できるという独立した考えを持つ世代で、親の持っている全て国の指示に従うという人生ビジョンとは根本的に違う」「僕と親とは完全に別の時代の人間」と言い切る。

また、「その当時はメディアも限られていたので、本を通してしか国の外の様子は理解できなかった。だから、自分は一生懸命本を貪るように読んだ。でも、本を読めば読むほど、親との距離は広がった」と振り返る。

新しい時代がきて、外の知識を吸収すればするほど、国内純正培養で生きてきた親との溝は深まる一方だったという彼のことばは深い。余りに突然、時代の価値観が転換する中で、親子間の心理的距離も広がっていったのだろう。避けがたい距離感はこの世代の親子間に共通して見られる相互理解の難しさと、そのことに悩む両者の痛みを生んでいるのかもしれない。

結婚観について聞くと、「親は結婚は人生にとって絶対必要なことだと思っている。結婚しないと人として成熟しないし、結婚は子どもを生むためのもの。早く孫を生んでほしいと中国の親はみんな思っているよ」といささか、あきらめの語気で語る。

一方、彼自身の結婚観を聞いたところ、「結婚はしたいけど、女性は独立した人が良い。中国の女性は男性が女性に付き添うこと（中国語で「陪《ペイ》」）を求めるけど、べったり依存されるのは不自由。子どもには（中国の伝統で重視する）血よりもむしろ僕の考え方を継いでもらいたい。たくさん養子をもらって、一人くらいは聡明な子がいたらうれしいなあ」とグローバルな未来派っぽくスケールは大きく、ざっくりしている。

また、周囲の友人たちの結婚のようすを尋ねると、以前、交流のあった上海人の女性が女友達にしていた男性に求めるべき結納金の算出方法をたまたま横で聞いて、たまげたと話してくれた。「上海の若い女性の母親っていうのは普通の人じゃない。婿を評価するための詳細にわたる一覧表があるんだ。男性と女性の戸籍所在地、オックスフォード大学にハーバード大学から国内の三流校までの学歴、年齢、新居マンションの上海市内の位置と価値、名義を嫁と共同名義にするか否か、さらに両者の容姿に至るまで、総合的に点数評価して釣り合う経済的条件を男性側に求めるのさ。上海市の第3環状道路内に位置する1000万元（2億円）のマンション持参が条件、なんて要求だってざらさ」と言う。

また、これらの「婚前商談」を結婚を控えたカップルらが同席する場で進めると、二人の関係が悪くなる可能性があるので、若い新郎新婦はこの「婚前商談」から外し、両家の両親だけで交渉を進めるのが上海式という。彼曰く、

「これはビジネスで、結婚じゃない！」

これには、筆者も思わず頷いた。そして、こう付け加えた。「でも、中国人が恋愛できないって訳じゃないんだ。住宅が高すぎるからこうなっちゃったのさ」と。確かにどう考えても二人の愛情のカタチであるはずの結婚がこれでは完全に合弁会社設立前の「商談」だ。中国の結婚は高騰を続ける不動産に乗っ取られてしまったのだろうか？　小説以上に奇妙な現状に幻滅気味のBさん。結婚以外は全て手に入れた前途有望な彼は一体どんな結婚をするのだろうか。

†Cさん 20代：バリスタ独身男性「恋愛という精神的な繋がりが僕には必要」

Cさんは中国でこの5、6年ブームになっている焙煎コーヒーのバリスタ。筆者の通っ

ていたカフェで知り合い、その後、幾つものおしゃれな個人経営のカフェを転々としている。朝はリッチな南米産コーヒー、まどろんできた午後にはアフリカ産のフルーティーなコーヒーが良いよと薦めてくれるCさん。ただ彼の親にはコーヒーの専門家という職業のコンセプトはなく、「あてにならない仕事」としか理解されない、とCさんは無念そうに言う。

親子の差について聞くと、「親とのジェネレーションギャップはある。60年生まれの親はずっと安定している体制内（国公営）の職場で仕事をしてきたので、僕たちみたいな若者が今、直面している仕事や生活のプレッシャーを全く理解できない。それに、国公営で福利があるのが良いと思っているから、民営や個人企業は頼り甲斐のない、ダメな職場だと思っているんだ」という。

また、彼はお母さんの考え方が近年、ますます偏狭になっていると心配する。文革時代を生きたお母さんは50歳で退職し、その後も祖父母の介護などに忙しくしてきた。「家族のために尽くしてきたのだから、見聞が狭いのはある意味で当然」と理解はしている。しかし、退職して久しく、時間的に余裕のある最近はスマホの中国版 TikTok「抖音《ドウイン》（Douyin）」などの動画ばかり見て過ごしていると嘆く。

「母が僕のスマホに転送してくる記事はゴシップや知的レベルの低い情報ばかり。母の信じている情報は『間違ったものだよ』と教えてあげても、全く聞く耳を持たない。前は僕が薦めた村上春樹の小説も読んでいたけど、スマホを使うようになってからは動画ばっかりで。スマホがＡＩで識別して、似たような情報ばかり送ってくるのだろうからますます考え方が偏っちゃって。ニューメディアのせいで、みんな独立して考える能力を失い、信じるものも想像力もなくなって、拝金主義と民族主義ばかりが流行《はや》るようになってきたよ。今は大学内のお店で働いているから大学生とよく接するけど、学生の民族主義はすごくて、かなり心配」という。

自分の興味のあるものだけをあらかじめ選りすぐって送ってくるニューメディアの影響で家族間でさえ溝が深まる。深まる認識の分断によって、人間同士も分断されて悩んでいるのは米国だけではなさそうだ。米国以上のジェネレーションギャップが存在する中国では、この分断はもしかすると同国以上に深刻なのかもしれない。

また、結婚については「両親の周りにいる人の子どもは既に結婚して、もう2、3人孫がいる人も多い。だから、僕にも30歳を過ぎたら結婚して、子どもを生んで、離婚は何があっても恥だからすべきではないと思っていると思う」という。しかし、Cさんは3年前に、7年同居し双方の家族ぐるみの付き合いだった女性と別れてしまった。両親は彼女との結婚を急かしていたので、すごくショックを受けているという。それ以来、親は結婚の話を全くしてこない。「本当は今、僕は子連れ離婚した女性と付き合っているんだけど、そんなことは親には言えない」と彼は胸の内をこぼす。

彼の恋愛観に関して、「最近は恋愛は面倒と感じる若い人が増えているみたいだけど?」と聞いたところ、「恋愛が面倒なんて思ったことは一度もないよ。僕にとってはパートナーは生きていくために必要なものだよ。肉体的とかそういう浅い意味ではなくてね。恋愛という精神的な繋がりが僕には必要なんだ」とまっすぐな思いを教えてくれた。

また、「もし、面倒といえば、そりゃ恋愛は双方向で個々人はみんなそれぞれ違うから、対立や衝突、譲歩、調整は避けられないよね」という。一方、将来のビジョンを聞くと、「自分は子を作る気は全くない。子育てと教育のプレッシャーの大きさは今の交際相手が連れ子の養育に苦労していることを見れば明らかだしね。幸い養育費は前の夫から出ているのでまだ良いものの、子どもを育てるのは大変だよ」と語る。

この時思い出したのがBさんの言っていた周囲の既婚の友人たちのようすだ。「みんな大変そうだよ。家のローンや子どもの教育費などの経済的な悩みで頭を抱えているか、お金に余裕がある人は子どもの教育のことで焦慮《しょうりょ》している。夫婦でいつも小さいことで喧嘩しているよ。理想的な夫婦生活を送っている人なんて見たことない」という。「みんな、子どもの教育のことでも、生まれる前から幼稚園だの、(名門)小学校のある学区だの、色々心配している。焦りっていうのは不思議で一度焦りの罠に入ってしまうと出てこられなくなるからなあ」と呟く。これが30代独身者の眼に映る周囲の結婚生活だ。

†Dさん Z世代:大学4年生の独身男性「家を持ってこその新婚生活」

北京市内の師範大学に通うDさんは大学教授の親の研究に付き添って6歳まで日本で過ごした知日派。「結婚? これから日本留学を考えているからまだ遠い話。いつかは結婚もして、子ども欲しいけど、僕にとってはまだ先の話」と言う。結婚の際に女性が男性に住宅を準備するよう要求することについて聞いてみると「確かに大学の女の友達を見ていると、田舎に帰って、安定した高校の先生の職などについて、結婚するなら家は絶対に新居が必要とみんな考えている。日本みたいに新婚後もマンションの一室を借りて住む? そういうライフスタイルは彼らは理解できないよ。『家を持ってこそ初めて(二人の)生活』という言い方があるでしょう」という。

中国には日本のように、数十年働いて、お金を貯めてから新居を買うという発想自体が存在しない。賃貸マンションを借りる場合、日本のように住民の権利が補償されず、「明日出ていけ」と家主に言われたら終わりという住宅賃貸ルールの違いをその理由に挙げる人もいる。

それにしても、北京の1億円もするマンションを男性だけで用意するのは無理じゃないの？ と聞くと、「そうそう。だから、最近はいろんな方法があるよ。また、北京の人同士だったら、元から価値観が近いから受け入れやすいかも。他省から来た人たちのように、物質的な面や戸籍などにあんまりこだわらないし。外の省から来た人、特に上海の人などはすごく物質にこだわるような気がする。あと、男女でみると、女性の方がいろんな条件を要求するね。男性はそういうことはあまりこだわらない」と自然体だ。とはいえ、正確には、男性はこだわらないというより、現在の中国では、女性から求められる方の立場にある。女性側の要求を満たすのに精一杯のはずだ。

「うちの親が重視するのは相手の学歴とか、頼り甲斐がある人かとか、優秀かとかそういう面。物質的なものは気にしない」と落ち着いて話す。彼の様子からはジェネレーションギャップは感じられない。日本在住経験もある親ということもあって、結婚観も比較的オープンなのかもしれない。

また、北京出身者は外の省から来た人と比べると、戸籍はもちろん、北京市内の住宅も親や祖父母が大抵持っている。元から恵まれている分だけ、相手にも物質的なことより人間性などの面を重視する余裕が生まれるのかもしれない。その意味では、日本人の感覚にも近い。これを逆にみると、多くの人の結婚話で家や戸籍が結婚条件の最前に出てきてしまうのは、それだけその入手が困難な状況に置かれているからなのかもしれない。困難な現実があるからこそ、そこから逃れようと、結婚に多くを求める。そんな公式が透けて見えてきた。

これまでの恋愛経験に関して聞いたところ、大学入学後これまでに数人彼女はいたが、今はいないという。「特にシングルでいる方が気楽で良いとも思わないし、出会ったら自然に恋愛すればいい。（お姫様のように特別扱いされることを求める）お姫様病の女性が多いとも思わない。以前の彼女と別れたのは性格の不一致など別の問題」とDさんはサバサバしていた。一部の中国の男性に見られる女性や恋愛に対する不信や恐れに類するものも感じられない。縛りや気負いのないDさんはきっと健康的な結婚をしそうだ、そんな思いがふと頭をよぎった。

†Eさん30代：6人で子育て中の休職中キャリアウーマン「親とは離れられない」

Eさんは北京生まれで北京の名門大学を卒業後、大手広告代理店とネット広告代理店に勤務。大手飲料企業のネット広告を担当していた3年前は、自分の結婚式の日取りも忘れるほど多忙な24時間体制のキャリアをこなしてきた。あまりの仕事のプレッシャーに疲れ果てて、結婚し、仕事を辞めて家にいた時にちょうどよく子どもができた。今は2歳の可愛い盛りという。遊び仲間として知り合った旦那さんとEさんはともに北京育ちの一人っ子だ。

両親とのジェネレーションギャップについて聞くと、「母は60年生まれだから文革世代。私はどちらかというと自由だけど、母はやたらと人の眼を気にする。初夏にいち早くサンダルを履いたり、ノースリーブを着たりするのをすごく嫌がるの。他の人がどう見るかが気になるらしい。結婚に関しても同じ理屈で、他の人の家の子どもはしているのに、なぜうちはしないのか？　ということをすごく気にする。子どもの将来を心配するという側面もあるけど、多分、それ以上に人の眼を気にして結婚を催促する親が周囲にも多いと思う」と言う。中国の人は、他人の眼は一向に気にしないような印象が強いが、案外そうでもないらしい。中国は面子《メンツ》の国。面子という側面から、日本とはまた違った意味で、他人がどう見るかを気にする人は少なくないのかもしれない。

Eさんの親は中国の都市部のこの世代では珍しい放任主義。他人の眼は気にするものの、勉強面も恋愛も親は口出しをしないで任せてくれたという。だから、子育てでも自分もなるべく子どもは伸び伸びさせて育てたいのだそうだ。しかし、夫の家族はその反対で、子どものために親ができる限りのことを尽くすべきと考える。孫の子育てにもそれが影響しているのよ、とEさんは困惑を隠さない。「ご飯だって、もう、2歳なのだから、適当に大人の物と一緒に作って食べさせれば良いのに、(夫側の) おじいちゃんとおばあちゃんは絶対にその日に買って来たばかりの新鮮な食材を使って毎日、特別に子ども用のご飯を作らないと気が済まないの。だから私も、一緒に巻き込まれて大変」と言う。

Eさんの旦那さんは働いており、Eさんは妊娠してから2年半ほど仕事はせず家にいる。日本であれば、子ども1人の面倒は大人1人いれば十分とされている。しかし、現代の中国はそうではない。この1人の孫の子育てのために、4人の祖父母が一週間交代で彼女の家に詰めているのだ。すぐ近所に住む夫の両親は昼間やってきて孫の面倒をみて、夜は自宅に帰る。遠くて毎日通うのが困難な彼女の両親は月曜から金曜までは彼女の家に泊まり込んで、孫の面倒を見てくれているという。

「じゃあ、Eさんは楽できるね?」と言うと、彼女は首を横に振り「そんなことない、彼らは自分の社交もあって、出かける時もあるし、食事も掃除も洗濯も何でも子どもにとって完璧を求めて要求が高いから気が抜けないのよ。子どもの衣服は大人の物とは別洗いしているしね。色々大変よ。うちは6人の大人が1人の子どもを囲んで走り回っているのよ」と言う。この世代に典型的な、結婚後も親と一体化して、1人の孫のために6人が駆け回る若夫婦生活だ。

老夫婦世代が若夫婦の子育てと家事を支援する二世代家族の協力体系は、中国では長い伝統がある。確かにこれには、一つの合理性もある。生産性のある商売や農作業は若夫婦が中心になって行い、お金にはならない子育てや家事というサポート業務は老夫婦が中心になって行う。少し前の日本では夫婦という男女間で分業していたことを、中国は世代間で分業している。中国の若いカップルが米国など海外に留学する際も田舎の両親を引き連れて行き、若夫婦は二人とも大学で学位取得に専念し、子育ては親に任せるという家族内の分業は一つのパターンだった。老夫婦にとって海外生活は厳しいはずだが、限られた若夫婦の在外就学チャンスを家族ぐるみで最大限に生かすという合理性はある。

また、老人の方も「孫を抱かせて」という言い方があるように、孫の面倒を見ることを、自分の生きがいの一つと積極的に捉える文化がある。「自分のことで忙しいから孫の面倒は見られない」という老人は中国では圧倒的に少数で、むしろ若夫婦に「早く生んで孫の面倒を見させろ」と催促する人がほとんどだ。

約15年前に筆者が北京で子育てをしていたころも、幼稚園や小学校に迎えに来ている保護者の約3分の1は子どもの祖父母に当たる老夫婦だった。そのため、筆者もその頃はママ友、パパ友のみならず爺友や婆友にも知り合い、仲良くしてもらった。

ただ、その頃に見た爺と婆たちによる若夫婦の子育て支援は期限限定の一時的な支援で、数カ月後には老夫婦は田舎に帰る場合が多かった。Eさんのケースのように、ぴったりと若夫婦が親に依存し一体化した子育てではなかった。

ここで決定的に違うのは、15年前の若夫婦の主流は主にきょうだいのいる70年代生まれのいわゆる「70後（チーリンホゥ）」世代だったのに対し、近年の若夫婦は一人っ子第一世代である点だろう。子どもが1人だけなので、とにかく親も子離れができにくいことに加え、80年代生まれの「80後（バーリンホゥ）」の今の親は、15年前の「70後」の親たちと比較しても経済力と発言力がある。だから、なおさら、若夫婦の家庭経営に深く関わっているのかもしれない。そして、「80後」の家庭では、親子が一体化した結婚生活がいまや「普通」の家の風景になりつつある。

Eさんに結婚の際のマンション購入事情を聞いたところ、今住んでいる北京市内の南の新開発エリアの家は夫の両親が彼らの結婚の5、6年前に3割の頭金を支払って購入しておいてくれたものらしい。北京に長く住む筆者も、この天安門を西南に約10キロ行った第2と第3環状道路の西南エリアは足を踏み入れたことがない。地下鉄14号線を降りて広がっていた景色は、まさにできたてほやほやのニュータウン。クレーン車が何十台も荒野で仕事をする中、ピカピカの巨大なショッピングモールがそびえている。コロナ禍の影響もあるが、待ち合わせたモール内のほとんどの店舗同様、オシャレなカフェも空っぽだった。遠くにはたくさんの新築の高層マンションが建っている。彼女の家はこの地下鉄の駅から10分ほど車で行った所にある。

残りのローンは二人で支払い、名義も二人のものだ。このように、最近では、男の家族が頭金（マンション全額の3割〜5割）を支払い、残りを二人で支払い続けるというやり方が次第に増えてきているようだ。

「家も子育ても親あっての我々よ。親とは離れられない」とEさんは語る。結婚前は相手選びから親が介入し、そして結婚後も親は若夫婦と孫の生活の面倒をとことんみる。一人っ子世代の親子は結婚後の都市生活でも一体化し、現代中国独特の新しい親子関係を築いている。

†Fさん 32歳：日系企業勤務のキャリアウーマン「幸せというのはお金があるということ」

Fさんは日本の大学と大学院に留学したあと、東京で2年勤務し、コロナ直前の2019年に北京に戻り日系企業に勤務するオシャレなキャリアウーマン。待ち合わせた明るく広々としたビアホール風レストランでもテキパキとランチセットのオーダーをこなしてくれる。印象は日本と中国を股にかけバリバリと仕事をする「きれいなできる女性」だ。

親とのジェネレーションギャップは「違いはあって当たり前だから、なるべく自分がなぜそう考えるのかを説明して分かってもらうようにしている」と話す。さすが、日本に留学しているだけあって、多文化コミュニケーションにも慣れているのだろうか。親とあまり大きな価値観の摩擦はなさそうだ。

結婚の見通しについて聞くと彼女は滔々《とうとう》とこう語った。「元々は、結婚は30歳か31歳くらいでするのが理想だったけど、コロナ禍でずっと人にも会えず、延びちゃった。お見合いはどんどん親にお願いしている。将来、子どもは35歳くらいで欲しい。もしかしたら2人目（の子ども）も欲しいかも。お見合いの相手には少なくとも自分と対等であってほしいから、自分と同じくらいのレベルを満たしている人が条件。つまり、大学院以上の学歴、私は天津《ティエンジン》に一つマンションを持っているので、相手もそのくらいの経済力が欲しい。仕事もしっかりしたものに就いている人が良い。自分は天津の戸籍だけど、子どもの教育や今後の発展のチャンスのことを考えると、北京市の戸籍、できれば（名門大学が集中して学園町として知られる）海淀《ハイディエン》区の戸籍が欲しい」のだそうだ。お見合い経験者だからだろうか、淀みない条件のオンパレードに面食らってしまった。

「差別はしたくないけど、地方出身者は人と人との距離の感覚が違う。一人親戚がいるとぞろぞろとその人に頼って皆がやってくるのはちょっと困る。そういう意味で考え方が近い大都市の人がいい」という。確かに、中国の都市と農村の文化的な差はヨーロッパなら異国に相当する差がある。そもそも、2188万人が住む北京市だけで既に、1744万人のオランダ一国以上の規模だ。規模で比較する限り、北京は確かに一国に相当する大きさだ。

経済面では、「マンションの頭金の180万元～250万元（3600万～5000万円）は男性側が支払ってくれているのは必須。その後の支払いは二人でローンで返すのもあり、だけど、全部男性側が買い取ってくれていればなおさら良い」「1LDKの小さな部屋でない限り、北京の家は80～95平方メートル以上の大きさが普通で、その場合、価格は450万元～550万元（9000万～1億1000万円）が一般的」という。

結婚観を聞くと、「結婚は自分が幸せと感じるためにするもの。そして、幸せというのはお金があるということ」と言い切る。「別にブランド物ばかり買って贅沢三昧の生活がしたいという意味ではなくて、世界旅行ができて、ヒルトンホテルに泊まったりできる、そういう生活をしたいの」という。ヒルトンに滞在する世界旅行ができる生活が彼女の理想のようだ。

「お見合いはまず、学歴と経済条件をクリアしたら次のステップに行く。次は話が合うかどうかが問題だけど、前回、親の知り合いの紹介で会った四川《スーチュアン》省出身の男性は学歴は博士号を持ち、北京の海淀区の戸籍も持っていて良かったのだけど、『緻密な利己主義』タイプで自分のことしか考えない人だったので別れた」という。

何でも北京ユニバーサルスタジオの半年パスを買って一緒に遊びに行こうという話になったが、彼は自分の分しかパスを買っていなかったのに失望したのが別れた直接の原因という。割り勘で負担するのは構わないが、彼女のパスの購入に無関心だったことにがっかりしたという。いかにも、合弁会社設立交渉の決裂を彷彿とさせる「別れ話」だ。愛とも恋とも異次元な付き合いに一抹の不安を感じるのは筆者だけだろうか。

「旦那のスマホのパスワードは教えてもらう」

もう一つFさんがはっきり言い切ったのが、「結婚したら夫のスマホのパスワードを教えてもらうのは当然」「結婚は契約ですから」という。自分も異性の友達はいるので、旦那にも異性の友人がいるのは構わない、連絡先を削除するような横暴なことはしないが、一応、パスワードは知らせてほしいという。

これには驚いた。彼女が迷うようすもなく、「当然」というのだから、彼女の周りでもそういう友人が多いのだろう。中国の男女の間にはどんな秘密もご法度で、夫婦やパートナーの間にプライバシーは不要という基準が一部では「当たり前」とされているようだ。この点は、後述する「図書館30秒」でも触れるが、中国独特のプライバシー感覚と近頃の男女関係文化に根差しているようだ。

そして、予定通りにもし35歳までに子どもが生まれたら「親に見てもらう」という。それが周りの友人たちの間でも一般的らしい。筆者が「親にお願いするの?」と再確認したところ、Fさんは少し考えた後「お金持ちは子育て専用のお手伝いさんを頼む人もいるけど」と親以外の選択肢についても補足した。筆者が想定していた若夫婦だけで1人の子どもの面倒をみるという選択肢は彼らの世代の頭の中にはないようだ。

とはいえ、こう考えているのはおそらくFさんだけではない。そういえば、筆者も十数年前に、1人で2人の子どもを連れて幼稚園や小学校に送迎している際、エレベーターの中で、同じマンションの住人の見知らぬおじいさんに「あんたは偉い!」と突然しみじみと褒められたことがある。これも、今思えば、中国では1人の子どもに対し、大人複数で面倒をみるのが当然になっている。この常識に照らし合わせると日本のお母さんは本当に「偉い」と映るのだろう。

Fさんと子どもについて話題が及ぶと、「子どもはできれば、有名校の集中する北京市海淀区で進学させ、大学は自由な雰囲気のある海外に進ませたい」と希望を語る。一方で、現実にはゼロコロナの厳しい外出制限などの影響で、人に会いにくい状況が長引く中、なかなか良い人は現れない。日本で8年も独立した生活をこなし、「日本の男性も優しくしてくれた」と振り返る明るくテキパキとしたFさん。しかし、完璧な「条件」を求める彼女に、果たして息の合う素敵な「人」は登場するのだろうか？

†Gさん20代：英国大学院生独身「親密な関係になるのが怖くて、相手を遠くに押しのけてしまう」

Gさんは国内の地方の大学を卒業して英国で芸術系の修士課程に在学中の独身女性。これまでは好きな人が何人かいたが、みんな義兄弟のようになってしまって、恋愛には発展しなかったという。「でも、考えてみると実は自分が親しくなるのが怖くて、彼らを遠くへと押しのけてしまっていたかもしれない。それで、クールな顔をしてごまかしていたのかも。仲良くなったあと、かえって意見が合わずに喧嘩をしたり、衝突したりするのが嫌だった」という。

さらに、「ずっと前は自分は消極的だから、積極的で明るい人が現れて自分を救ってくれたらいいなあと夢見ていたこともある。その頃は自分で自分を受け入れられなかったからかもしれない」と心の内を吐露する。

話してみると、「自分を受け入れられない」と彼女が言う背景には、母親とのジェネレーションギャップも関係しているようだった。「母はとにかく、高校生までは勉強第一と言い続け、私には勉強するように求めてきた。家の中で、どうやって人と親しい関係を作るかとか恋愛はどうするかなどを話したり、教えてくれたりすることはなかった。母は、結婚は自分の家に釣り合う相応の家とすべきで（中国語で「門当戸対《メンダンフードゥイ》」）、画家など収入が不安定な人とはすべきではない、学歴も高いのが良い男性、というような世俗的な見方で、私の考えとは全く違った」「母は高校までは恋愛はだめと言っていたのに、大学院生になった今は、早くボーイフレンドを探せと言い続けている。最近は、私に変な記事を転送してくる。どうしたら異性にとって魅力的になれるかとか、犬でさえパートナーを持つとか、本当にどうかしている！」と結婚を催促する親とのギャップにうんざりしている。

Gさんのお母さんは中国の改革開放の成功者、いわゆるチャイニーズドリーマーでもある。1970年に中国の南方の農家の長女として生まれ、妹と弟の学費を稼ぐために17歳で出稼ぎに出た。職を転々としながらも、米国企業の工場で働き口をみつけ、英語ができれば労働者から管理の職につけると悟り、独学で英語を学ぶ。その時は必死に頑張り、実際に後に同企業で管理の仕事まで昇進したという。Gさんはそう話しながら、「母はものすごい精神力の持ち主。負けず嫌いで頑張り屋だったんだと思う」とお母さんの非凡な努力を認める。

「でも（仕事には成功した一方で）、時代の価値観があまりに速く変化していくのに頭はついていけなくて、いまでも、母は伝統的な考え方のまま。常に正しい答えは一つだけで、『標準的回答』だけが正解だと思っている。でも私たちの世代は違う。答えは一つじゃなくて、多様なのよ」という。

お母さんは中国の高度成長期の波に乗って奮闘し、暮らしぶりは大きく変わった。農民出身で、自分は大学にさえ行く機会がなく17歳で出稼ぎ労働者になったのに、今ではその娘を英国の大学院に留学させている。ただ、考え方は新しい時代の空気を満喫している娘との間に大きなギャップがあり、二人は中々意見が合わない。それを代表するのが二人の結婚観だ。親側は「我が家に釣り合う、ちゃんとした男性と結婚してもらいたい」と期待している。

しかし、話していくうちにGさんも「母が私たちのような新しい考え方を理解できないのは、仕方のないことかもしれない。最近になって、ようやくそう思えるようになった」という。子どもなら誰でも、お母さんに一番自分のことを分かってもらいたいと思うだろう。しかし、母親の方は文革などの影響で、古い価値観から抜け出せない。新しい時代に生きる子どもに対する理解やサポートも限定的になりやすい。そのため、子どもは自信と安定性に欠けやすく、他人を受け止め、自分を開く恋愛にも二の足を踏んでしまう。他人と親しい関係になる恋愛が怖いと感じる若い人たちの背後には、Gさんが苦しんでいるようなジェネレーションギャップが生む共通の壁があるのかもしれない。

Hさん90後(Z世代):映像クリエーターの卵「恋は暇じゃないとできない、時間コストが……」

Hさんは広東省《グアンドン》の地元で大学を卒業後、北京に出てきて動画製作の仕事をする20代の独身女性。みずみずしい発想と社会派の視点を持つ将来の映像クリエーターの卵だ。

親との関係について聞くと「親は高校までは早すぎる恋愛(中国語で「早恋《ザオリエン》」)はだめ、と言って禁止。大学に入ってからも『するな』と言っていた。卒業後、数カ月付き合った人はいるが、今はフリー。親は人の顔を見ると早く地元の広州《グアンヂョウ》市で結婚相手を探せという。外の省の人との結婚は親は望んでいない。今はもっと極端な親がいて、自分が住んでいるマンションのコミュニティー(中国語で「社区《シャチュ》」)の中で結婚相手を探せ、とピンポイントで勝手な要求をしてくる親もいるのよ。親はみんな自分の住んでいる近所に娘が嫁いでくれることを望んでいるのよ」という。しかし、彼女は目下地元に帰る計画はない。

Tinderなどの出会い系アプリも友人が使っているので使ってみたが、「知らない人とコミュニケーションを取り合うのは、すごく消耗する。真面目なお付き合いというより、ワンナイト・スタンドのような遊び目的の人が多くて、自分には向いていないと思った。でも、友人は、『アプリで出会う人は、交際や結婚という目的があってそこに来ているから進展がものすごく速い。いったんそのスピードに慣れてしまうと、以前のように普通に友人の紹介で出会った男性と関係を深めるのには時間がかかりすぎて、遅いなあと感じてしまう』と言っていた」と話す。

実際、2019年に開設した若者向けマッチングアプリ「二狗単身青年自救プラットフォーム」創始者の李二狗（リ・アーゴウ）氏は同アプリの最も重要な特色の一つとして「自分のニーズを最も迅速に実現する」「効率の高さ」を挙げる。相手選びでユーザーが最も重視するのは「顔値《イエンヂ》」と呼ばれる顔の印象で、他に年齢、身長、地域、学歴、仕事などで絞り込む。顔のほかには数字化されて分かりやすい身長が特に注目されるという。[19]

また、ある独身男性プログラマーの言として、大手雑誌『Vista看天下《カンティエンシャ》』は「ゆっくり相手を理解するのは時間も労力も十分にある学園内の学生には良いけど、卒業後はあまり現実的じゃない」というコメントを紹介している。中国の若者も忙しく、精神的にも時間的にも余裕がなさそうだ。そんな人にマッチングアプリは「効率性」をアピールする。いよいよ恋愛も効率性が問われる時代になったのだろうか？　筆者の感覚とは全く違う時代が到来しているようだ。

いずれにせよ、ネットは確実に新しい出会いの場になっている。世界的に大人気のネットゲーム、「王者栄耀《ワンヂャロンヤオ》」は、青少年の健全な成長が蝕まれると政府が使用時間の規制に乗り出すほど、若者たちの生活に入り込んでいる。ゲーム上で他のプレイヤーとチームを組んでおしゃべりしながらのプレイも可能で、そのネット上の機能を利用して、全く別の地域で暮らす男女が知り合って結婚して、幸せそうに暮らしている友人もいると、別のZ世代（90年代中盤から2000年代に生まれたデジタルネイティブ世代）の知人は話してくれた。

話をHさんに戻そう。Hさんは出会い系アプリも試してみたが、やはりもっと自然に異性に出会いたいと考え、1年前からスイングダンスを習い始めた。「（当初の目的だった）出会いはないけど、ダンスを一つ一つ習って進歩していると感じるのは楽しい」と語る。

最近は恋愛マニュアルのような情報が溢れているね、と聞くと、「そうそう、みんな、そういうすぐに役に立つとか、失敗しないとか銘を打った動画や情報を見ている」という。そして「皆、急いでいるから、すぐに使える、効率的に恋愛したいと思っている人向けのものが多い。友人の彼氏はおしゃべりが上手で、中国版TikTok『抖音（Douyin）』のフォロワーも多いの。この前なんて、彼女とのデートの現場を動画に撮って、どうやって楽しく女性とおしゃべりするかの見本として公開しちゃったらしいのよ」と話してくれた。自分の本当の彼女とのデートのようすを「見本」として切り売りしてしまう感覚はいかにもZ世代ならでの若いセンスだ。

ここでHさんが触れているマニュアル文化は実は、日本でも元々盛んだ。「マニュアル通りでないと安心できない」「どうしたらいいのか分からない」「自分で考えるのは苦手」という人は日本でも多い。その意味で、日本と中国の若者は急速に似てきている。ただ、中国の場合は、マニュアルに「効率的に結果を出せる」という効率性や結果主義が加味されている。今や受験勉強や仕事での昇進だけではなくて、恋愛においても中国ならではのスピードと結果主義という要素が問われるようになっているようだ。

そして、「みんな急いでいる」という雰囲気も北京にいるとよく分かる。近頃、恋愛関係でよく使うことばに、彼氏や彼女ができて一人身から脱することを意味する「脱単《トゥダン》」という言い方がある。つまり、「私最近、脱単したの」といえば、彼氏ができたという意味だ。しかし、このことばには恋愛の甘酸っぱさもワクワク感も感じられない。「とにかく、一人でさえなければ良いの！」と言わんばかりの硬質さを感じるのは筆者だけだろうか。自由なシングルを謳歌するとか、甘く切ない恋に落ちるというロマンスは若者たちの創造性から拭い去られてしまったのだろうか？

さらに、この「一人を脱する」と全く同じ発想で、結婚催促に余念のない親に対して、金融関係で働く知人の有能な姉は「とにかく結婚さえすれば良いのね？」と親に確認するなり、男性と結婚。しかし、その男性とは一度も同居もせずに100％のペーパー夫婦を営んでいるというウソのような本当の話を聞いたことがある。脱シングルの「脱単」も結婚も自分の心以外から課される義務臭が強い。そして、みんな「急いでいる」。

Hさんの理想の相手を聞くと「昔は才能のある人が良いと思っていたが、今は考え方や価値観が合って、話せる人なら良いと思っている。でも結構こういう人と出会うのは難しいんだ」という。「それに、今私はすごく忙しいの。恋愛するには暇じゃないと無理よ。時間のコストがかかる。こちらがそれを投入しないと無理だからね」と言い切る。しかし、本当に恋愛をしているときに、「時間のコストがかかる」と人は感じるものだろうか？どんなに忙しくても、素敵な人が現れれば、時間はいくらでも作れるのではないだろうか？　そんな人がきっとHさんにもいつかは現れるはずだ。

†Iさん 33歳・離婚後独身男性「たくさん恋をして自分を理解し、本当に好きな人に巡り合いたい」

Iさんは北京生まれ北京育ち、商品企画企業で働く33歳の独身男性。今は海外の彼女と遠距離恋愛中で、共通語は英語だ。日本のバスケットアニメ『スラムダンク』を見て育ったバスケットボール愛好家で、爽やかで明るいIさんは仲間の間でも人気者だ。28歳の時に周囲の期待に流されるようにして北京出身の女性と結婚したが、翌年離婚。新居は親が買っておいてくれた東南第4環状道路付近の80平方メートルのマンションだったが、離婚で再び彼の家族の所有に戻った（中国の法律では婚前財産は離婚後は婚前の所有者に属する）。

当時は、彼女はもう少し広くて便利な場所の新居を希望していたようだった。中国ではシングル向けなら50～60平方メートルだが、2人以上の家族向けは90～120平方メートルのアパートが標準サイズで、80平方メートルは家族向けの中ではやや小さめと位置づけられている。この辺の常識も、90年代の住宅改革後に急速に変化した。

しかし、それは離婚の原因ではなく、「主に自分が相手とのコミュニケーションの重要性に気づいていなかったことが大きかったと思う」と振り返る。「自分の思った通りに家事の分担などを相手がやってくれなかったり、こまごまとしたことに腹を立てて、1カ月くらい口をきかなかったりしたこともあった。その時、自分は黙ってしまったのだが、それは相手からすれば（無視や無関心による）『冷たい暴力』と映ったようだ。こうしてお互いの気持ちを傷つけ合ってしまった」と振り返る。

「それに、相手も『成功したい』と思っていたようだが、成功が一体何を意味するのか？本当に自分は何を求めているのかは分かっていなかったかもしれない。それは自分も同じで、31歳になってだんだん自分が何を求めているのか分かってきた。そこが見えてくると、パートナーに求めるものも容姿や財産などの表面的なことではなくなってくる。むしろ、その人の特徴や生活や仕事への態度、そして世界観などに魅力を感じ、その人を受け入れて話をたくさん聞き、自分のこともシェアしたいと感じられるようになった。そうなれば、万が一、二人で衝突しても、もっと真剣にコミュニケーションを取ろうと思える。今は、たくさん恋をして、その過程で自分のこともっと深く理解し、ゆっくり自分が好きな人を探していきたいと思っている」という。

両親は結婚については開明的で特にプレッシャーをかけてくることはないという。「彼らの結婚観はお互いに小さいことにこだわらずに、そもそも結婚とは薪や米、塩や油といったこまごまとした生活そのものなのだから、ほどほどで折り合い、互いに譲り合いやっていけば最後は幸せになれる。とどのつまり、結婚は忍耐と妥協だ、という。でも、僕はもっと対等で尊敬し合う状態の方が良いと思う。結婚しなくても今のシングルのままでも、飲みに行ったり、友人と集まったり旅行に行ったり十分楽しい。それなのに敢えてなぜ結婚するのかと考えた時、両親が言うように、もし忍耐と妥協のためだけだったら結婚する意味は無い。まずは自分も妻もそれぞれが自分自身をよく理解して、自分の人生を楽しむことが大切だと思う。その上で結婚し一緒に人生を充実させて一緒に楽しめたら1＋1は2以上になるはずだと思っている」と語る。Iさんの2回目の結婚はきっと豊かなものになるのではないか？　そんな予感がした。

†Jさん　Z世代：同棲中の独身男子「何かを好きになるという感情は重視されなかった」

Jさんは福建《フージエン》省出身で北京の大学を卒業後、北京で広告関係の仕事をする独身男子。インスタグラムで自分の趣味と同じカメラをやっていた高校時代の友人だった女性と北京で再会した。撮影のモデルをお願いして、交際に至ったという。付き合って数年経ち、今は同棲している。親は68年生まれ。親はいつも「我々が子どもの頃は本当に貧しく、『長男は新しいのを、第二児は古いのを、第三児はボロを着た』と言っていたし、食べて生きていくのがやっとだった。自分たちは大変な時代に生まれて損したからその分、お前たち、子どもには苦労させたくない」と自分に言うという。

また、「親は生きていくので精いっぱいだったから、子どもの僕には勉強をしっかりして、良い大学に進んで、良い生活をしろと言い続けてきた。自分はまるでいつも何かに押されるようにして育ってきた感じがする。自分が好きなことや好きな人、やりたいことや将来どんな人生を歩みたいか？　について聞かれることも考えることもなく育った。個人の感情が重要なものとは親は思っていなかったので、何かを好きになるという自分の感情は重視されなかった。だから、たまにそれを表現しても頭越しに批判されるのが関の山だった」と感情を軽視されてきた過去を振り返る。

また、「自分たちは愛に対してはっきりと確信がもてず、困惑しているところがある」と語る。「親自身はいきなりお見合いで結婚し、恋愛の経験が少ないということもあるとは思うが、とにかく親も誰も僕たちに愛情について整理して教えてくれたことはない。だから、ドラマとかで独学で学ぶしかなかった」という。

繊細な写真作品と同様に、自分の感情に関しても細やかな洞察を試みるJさん。ガールフレンドの写真を嬉しそうに見せてくれる屈託のない笑顔からは二人の楽しそうな関係が想像できる。繊細に純粋にあろうと生きるJさんからは自由なZ世代の感性が感じられた。

こうして見てくると、相手に何を求めるかは実のところ、自分が何を重視し、どう生きたいか？　という自分自身への問いに帰り着く。相手にばかり学歴やお金などの「標準的回答」（Gさん）や一般化された「偏差値」を求めてしまうのは、自分の軸がないからだろう。漠然とした将来への不安に負けずに、自立した自分の世界を持ち、互いに尊重し合いながら二人の豊かな関係を築く。シンプルだがやはりこれが愛の王道かもしれない。

第 4 章

「図書館30秒」に見る Z世代の恋のカタチ

「私の誕生日に他の女性にSNS？」で話題が沸騰。ガラスのような恋模様に描かれた「心の痛み」が驚異的な感染力で多くの人々の共感を誘う。背後にあるZ世代の恋とは？

2022年河北省、photo=Maggie Wu

†人気の書き込み「図書館（の停電）30秒」——精神的不倫

Z世代の男性に中国の最近の若者の愛に関する話題のストーリーとして教えてもらったのが「図書館《トウシュグアン》（の停電）30秒《サンシーミャオ》」だ。これは、「8年付き合った彼は、私が目をつぶって誕生日のろうそくに願い事をしていた30秒間に、停電中の図書館にいた他の女性とスマホで連絡を取っていた」という乙女の傷心を綴ったネットへの書き込みだ。中国最大Q&Aサービスの「知乎《ヂーフー》（quora）」の「いいね」は42万回、コメント数は5万5000件、中国最大動画投稿サイトの中国版TikTok「抖音《ドウイン》（Douyin）」の人気の話題累計放映数は1億回に上り、注目を集めた。この書き込みは、元々は2019年年末に「知乎」の掲示板の「彼・彼女の携帯電話でどんな秘密を見つけたことがある？」というスレッドに書き込まれたものだが、2年以上たった今もまだ、広く回覧されている。周囲の20代、30代に聞いたところ約半分の人がこのネタを知っていた。

書き込みの概要はこうだ。作者の20代女性は高校時代から8年間付き合い結婚を想定していた彼がいた。ある晩、彼が眠った後に彼のスマホに届いたメッセージを覗いてしまい、そこから彼と彼の在籍する大学院の同級生の女性が過去1年にわたりメッセージを送り合っていたことを知る。その後、彼は作者とその家族に平謝りに謝るが、傷ついた作者は交際を断り、別れたという。

この書き込みのクライマックスは右に引用した続きの部分で、自分の誕生日の彼のスマホの交信記録からその時を振り返り「あの時彼が考えていたのはこれからも毎年私の誕生日に付き添って一緒に祝おうということ？ それとも、図書館の停電を怖がるもう一人の女性のこと？」と感傷的に綴った部分だ。

中国の大手雑誌『Vista看天下《カンテイエンシャ》』（2022年2月16日）の記事はこの部分について「元々誠実で純粋だった愛が壊れ、求めても得られない心の痛みが驚くべき感染力をもって、非常に多くの人の共感を誘った」とドラマチックに語る。ネットの書き込みも多くがこれに準ずるもので「作者の痛みがよく分かる」「なぜ、愛はこうも、うつろなのか？」とともに嘆き、「こんな男性とは別れて正解だ」と憤慨するものが多い。一方で、「彼も反省しているならそれほど、気にしなくても良いのではないか？」という落ち着いた意見も見られた。

30代の会社を経営する独身女性に筆者が感想を聞いたところ、彼女は「この作者がきっぱり別れたのは正解だ。彼はこういうことをしている時、作者のことが見えていない。相手を十分に尊重していないのが浮気の根本的原因だ」と手厳しい。また、別の30代の独身男性は「付き合っている人が自分以外に心の拠り所を持っていたら自分も怒るだろう」と同じく作者に理解を示す。一方、40代で現在、奥さんと別居中の男性は「(作者が傷ついた)気持ちはよく分かるが、いかにも幼い女子らしい。もっと長く生きていれば似たようなことは起こるものだと分かるのではないか」と達観している。

筆者も最後の意見に頷いてしまったが、この程度の未婚の男女の恋のでこぼこを書いた美文がこれほど広い反響を呼んだという事実が、今の中国の独身者周辺の雰囲気をよく表しているように思う。

ヨーロッパ特派員経験もある30代の男性新聞記者は、この件は「中国で愛の感情に関する教育が不足している現状をよく現している」と冷静に指摘する。「中国の伝統社会では長いこと、自分を抑えて礼を重んじることが重要視されたため、個人の感情は重んじられずにきた。恋愛という極度に個別化された感情については特にそうだ。そのため、大学に入るまでは恋愛はしないというのが中国の中学校や高校の不文律になってきた。そうなると、若者の恋愛感情は文学などに頼るしかないが、そこで扱う情感世界と現実の異性関係には大きなギャップがある。今回の件も両者のギャップがありありと見られる」という。

確かに、中国では後述するように、以前と比べればずっと自由になってきたものの、基本的に大学までは恋愛はタブーだ。若者たちの恋愛経験が限られるため、小説や少女漫画に描かれたメルヘンチックな世界をそのまま現実の恋愛に当てはめようとしやすいのかもしれない。さらに、そんな経験の少ない若者にとって不運な環境はネットやスマホにおけるハウツー情報の氾濫だ。何でも手っ取り早く、失敗せずに効率的に結果を出そうと前のめりで進む中国では、恋愛さえも専門家の言に従って効率的に、失敗しないようにやろうという空気が濃い。ところが、人間の心情ばかりはマニュアル通りにはいかない。自分で試行錯誤しながら己を知り、パートナーを知り、相手を尊重しながら情熱的に関係を創りあげていく以外に方法はないはずだ。

今日の中国の若者が置かれているのは、少ない経験と反比例する多すぎる情報の海かもしれない。大量の消極的な情報に圧され、誰もが萎縮しやすく恋をして「失敗したらどうしよう?」という被害者心理ばかりが増大しやすい。同ストーリーに対する共鳴からは、恋愛を通じた他者とのコミュニケーションに対する不信や恐れが垣間見られる。これは、後述する「精神潔癖症」とも共通するかもしれない。

日本の結婚アドバイザーが、日本でも恋愛経験が少ない女性ほど、一方的に結婚相手に高い要求をしやすく、また、お見合いで一度でも断られると、深く傷つきやすいと吐露しているのを聞いたことがある。人と付き合った経験が少ない人ほど、逆に相手に完璧を求めてしまう傾向は、世界共通なのかもしれない。また、きょうだいに異性がいる人は異性の日常のありのままの姿を知っているので、そうでない人より異性に「幻想」を抱きにくい。一人っ子は、身近に他者や異性がいないため、極端に相手に期待しがちで、また自分自身も傷つきやすい傾向があるのかもしれない。

†両親参加型の恋愛

もう一つ、エピソードの中で筆者が驚いたのがこの男女の恋愛における両親の役割だ。文中の彼は、他の女性との交流の記録を作者に読まれ、作者が彼を置いて夜中に出て行ったと悟った朝、一人で作者の家に行き、その両親に向かって懺悔《ざんげ》し、自分の母親もその場に呼び出して彼らに証拠の詰まった自分の携帯電話を差し出したという。両親に呼び出されて家に戻って来た作者と全員に向かって、男性は平謝りに謝り「天に誓ってその女性とは(メッセージ交換以上は)何もないが、自分は間違っていた。許しを請いたい」と言ったとある。男性がここまで二人の関係を双方の親を含めた公開裁判に捧げ、ひれ伏すのはなぜなのか？
と疑問を感じるのは、おそらく私が日本人だからだろう。中国の読者はこの展開に特別に注意を払った様子はない。少なくともこの点についてのコメントは見られない。これを理解するには、後述する中国で進む恋愛と結婚の「家族プロジェクト化」が鍵となりそうだ。

第1章で幹部の娘を紹介した父親の話でも息子が父親の結婚への干渉に理解を示していたように、親の世代は、恋愛はあくまで結婚の前段階と理解する。そして、親にとって結婚は両家の財産と将来を託す家族プロジェクトなので、彼の行為は家族全員に説明すべき事項と位置づけられる。親から見える若者の結婚と恋愛はこういうことのようだ。一方で、若者本人たち（この例の場合特に女性）の思い描く理想の恋は少女漫画のような「毎年ずっと私の誕生日を祝ってくれる」、そんなメルヘンチックな関係という理解に留まっているのかもしれない。生身の人間はもっともっと複雑な生き物なのに。

ところで、この二人の若者とその親たちはどんな人たちなのか、書き込みから分かる部分を見てみよう。作者は、彼と別れた後、彼女のために親が購入してくれた地元の中小都市のマンションの内装工事をして、新たな人生を生きると書いている（中国のマンション購入は内装前のもので、内装は自分でするのが一般的）。一方、彼の方は彼女と交際中にイギリス旅行をしており、その際に問題の同級生に化粧品を買ってきたことが書かれている。この行為を作者は（他の女性と親密にする）「背信行為」として暴露している。

ここからうかがえるのは彼らは将来の住居は親が購入し、大学院生在学中にはイギリスに旅し、高級化粧品を消費する生活を送っている点だ。想像するに、親の力に押されるままに子どもは勉強をし、大学と大学院に進学し、両家公認の地元出身の相手と結婚を前提に付き合ってきた。ここまでは親の敷いたレールに乗って順調に来た。しかし、親の力ではどうにもならないこともある。それが彼らの恋愛だったのかもしれない。

†中国の「プライバシー」感覚——恥ずかしいから隠したいこと？

もう一つ気になったのが、交際相手の携帯電話の覗き見への開き直りだ。そもそも書き込み公募のスレッドが「（パートナーの）スマホに見つけた秘密」というテーマで投稿を募っており、覗き見を前提とした質問になっている。

中国におけるプライバシーは、一体どうなっているのだろうか？　筆者が日頃感じるのは、良くも悪くも「アッケラカンと開けっ広げ」な感覚だ。確かにプライバシーの概念はまだ「外来品」で、中国社会には根付いていない。例えば、北京の地下鉄で隣り合ったお婆さんは席を詰めて場所を作ってくれた若い女性に「ああ、ありがとう、あなたはおいくつ？」と親しげにおしゃべりを始め、「お子さんはいるの？」「あら、まだ結婚していないのね、まあ、先にお仕事に打ち込むのもいいわね、仕事は忙しいの？　お給料はいくら？」と矢継ぎ早に聞いていた。それでも若い女性の方は慣れた様子で適当にぼかしながら友好的に対応している。明るいといえば明るいし、悪気もないので、このくらいなら筆者も受け入れられる。

もう少しギャップを感じるのが、中国の地元病院でのプライバシーの無さだろう。読者の予想に違わず中国の地元病院には色々な「驚き」がある。診察室のドアに最近は「患者のプライバシーを守れ、一医者一患者！」というかねてから筆者が心の中で叫んでいたモットーが貼られるようになった。つまり、これまでは医師と一対一で診察中でも、どんどんほかの患者が押し入ってきて皆で一緒に医者の診断を見たり、聞いてしまったりする「集団診察室化」が当たり前に起きていた。ところが最近は、それはさすがに良くない、と感じる人が増えたため、「一医者一患者」というモットーがドアに貼られるようになったのだ。

また、日本人の友人が北京のトップクラスの大病院の先生から乳がんの判明と手術の必要性を伝えられたのも他の患者がたむろしている病院の廊下だったという。さらに、小学校や中学校の保護者会で回ってくる家庭調査票には両親の年齢、学歴、勤務先や職位をその場で書き入れてページを開いたまま保護者たちで回覧・加筆するのがこちら風だ。全て開けっ広げである。

こうした感覚の違いの背景には、英語の「パブリック」と反対を成す「不可侵に守られるべき個人的領域＝プライベート」という意識が中国にはまだ根付いていないことがある。中国語のプライバシーは「隠私《インス》」と書き、「(恥ずかしいから) 隠したい私ごと」というしろめたさが伴う。このことばはパスワードの項で後述するように、「恥ずかしいことをしていない人は気にすべきではない」という「中国の特色ある」論理とともに定着している。

例えば、こんな感じだ。近年の中国の街では安全対策の旗の下、公道はもちろんのこと、レストランやマンションの敷地内から中国版Uberやタクシーの車内に至るあらゆる所で政府と共有されているカメラやマイクが作動している。常にカメラやマイクに囲まれる街で私は窒息感で倒れそうになるが、周囲の中国の人たちは涼しい顔だ。気にならないか聞いてみたが、「別に見聞きされて困ることはないから」「監視対象は悪い人。わたしには関係ない」という。一事が万事こんな感じで、「プライバシーを気にするのは悪いことをしているから」と言わんばかりだ。こうした中国のプライバシー感覚の特異さは、ビッグデータがものをいうデジタル産業の発展にとって、他国は真似できない「極めて有利な」条件を提供している。このような実情もあり、一部では、人のプライバシーを無視して他人の携帯を覗くのも悪びれない空気がある。

†「パスワードちょうだい！」若い男女のプライバシー感覚

このことと関連してさらに驚いたのは、中国の若い男女が付き合う時、その儀式の一環として、しばしば男性は女性にスマホのパスワードを開示する習慣があるのだ。男性のスマホに女性の指紋や顔認証を登録して、女性がいつでも男性のスマホを見られるようにすることが、最近の若いカップルの間では少なからず「彼女の証拠」として流行《はや》っているという。また、人によっては、相手のスマホに登録されている異性の連絡先を一斉に削除する縛り屋さえもいるのだそうだ。前章でインタビューしたFさんもはっきりと「結婚したら当然、パスワードは教えてもらう」と言っていたように、これは既に中国の男女関係でよく見る一つの習慣になっている。

　興味深いのは、この相手のスマホチェックは男女で双方向に行うのではなく、主に女性が男性の携帯をチェックする一方通行だ。これには、過去の中国の農村家族社会の伝統や「あなたのものは私のもの」と全ての共有を目指した共産主義に端を発す「プライバシー」感覚の薄さと、近年の中国の都市部独特の若い男女の不均衡な関係の両方の要因がありそうだ。前述の独身男性は「スマホのパスワード開示は（広くやられているので）自分も求められたら我慢はするけど、全く理解はできない」という。別の30代、結婚3年目の男性は「彼女から『もし問題がないなら、見せてくれればいいでしょ？　なぜ見せられないの？』と聞かれたら返す言葉がない。彼女だけではなくて彼女の周りの友人たちが皆そうしているから仕方ない。24時間、GPSで居場所をシェアするよう求める女性もいる。（筆者と話している）今日もどこで誰と何の目的で会って何を話すかを彼女に説明してから来た。中国の女性が抱く理想の男女関係は一切の秘密を持たないカップルなのです」と言う。

　このように女性が男性の全てを知りたいと迫る理由について、30代の男性は「中国では女性は弱者だから保護されるべきという考え方が強いからじゃないか？」と推測する。これは、以前に80年代北京生まれのおしゃれなキャリアウーマンが「男性だけが住宅購入の負担を負うのは不公平じゃない？」との筆者の問いに対して、「女性は弱者だからその分、多くを求めても当然」と回答した理屈にも通ずるかもしれない。

中国全体を見回してみると確かに男尊女卑の伝統はまだ根強い。それは中国社会のあちこちで、急ににゅっと顔を出してくることがある。しかし、だからと言って都市部の若いカップルで女性は男性より多くを求めても当然といえるのだろうか？　都市部の若い女性は平均値を見ても男性より高学歴で、ほとんどの人が外で働いており経済的にも独立している。

少なくとも、家庭内では男性と対等の地位を獲得している。彼女たちが堂々としているのは素晴らしいことで、筆者も北京生活では、日本にいる時のような「女性らしい気遣い」や「遠慮」を期待されることはない。東京より女性を堂々と活躍させてくれるのが北京の空気だ。そんな中で、恋愛という本来、極めてプライベートな分野で、女性は決して「弱者」には見えない。そもそも、社会的には弱者だから、恋愛では男性に多くを求めるのは、逆に男女平等の精神に反するのではなかろうか？

スマホの覗き見の話に戻ろう。前述したように、カップルなら覗き見はありとする見方が中国では広く通っている。一方で、若者の間では徐々にプライバシーの感覚も芽生えていることも記しておくべきだろう。例えば、中国の若い心理カウンセラーは中国版インスタグラムの「小紅書《シャオホンシュ》（RED）」の動画の中で、人の携帯電話を覗き見る行為に対し、心理学的理論から反対している。

「覗き見は単なるプライバシー侵害の問題だけでなく、相手への信頼と自分自身への自信、疑いを感じた時のコミュニケーション能力がいずれも欠如していることの現れ」と指摘する。「まずは自分と相手を信じ、勇気をもってコミュニケーションをとることが信頼構築の第一歩になる」として、覗き見以外の解決法を呼びかけている。

†虚構に踊らされる若者の恋愛スタイル

また、最近の若者たちの恋愛スタイルについて、復旦《フーダン》大学文学部・梁永安（リャォ・ヨンアン）副教授は「虚構」に沿って進めるケースが多いと指摘する。そして、それは「愛の本質」とは別物であると、動画共同配信の「bilibili（ビリビリ）」の恋愛講座で次のように表現している。[20]

「（最近の若者は）まず、恋愛をしましょうと決めて、それから恋愛のあるべきモデルに従う。つまり、デート、食事、花束など決まった枠組みにそって事を進めようとするが、そこからは愛の本質は得られない。それは虚構に過ぎない。枠組みを決めて努力して愛を実らすケースもあるが、それは一種の人工的な熟成促進剤による愛であって、そこに自然に熟成した甘みはない。本当の愛は、知らないうちにこっそり生まれているもの」という。「図書館30秒」の二人の関係もまさに、両親の肯定の下で、蠟燭《ろうそく》やケーキといった虚構で埋め尽くされており、二人の間の「愛の本質」は不在だったのかもしれない。

いささか表面的で芯が脆弱な男女関係を見て、その逆のケースとして思い出したのが90年代の筆者の留学時代に目撃した昭和っぽい粗削りの恋だ。その当時はどの大学にもあった大学構内の社交ダンスホールで知り合った既婚女性と北京大学ポスト博士号の独身男性との恋だった。二人はともに地方出身で有能さゆえに北京での進学や就職を実現した人で、北京で出会い仲を深めていったようすだった。女性は北京で期限付きの単身赴任で仕事をしていたが、ある日、二人のことを知った彼女の夫が車で数百キロ向こうの田舎から北京のオフィスまで乗り込んできた。北京の職場で彼女の浮気行為を同僚や上司に訴え大騒ぎをして、そのまま地方の田舎まで連れて帰ったと、後日、彼女から聞いた。中国では恋愛も激しいなあと驚いたが、そこにあったのは情感溢れる当事者だけだ。当然のことながら、彼らの「親」は一切登場しなかった。
あれから25年。中国の人も恋も社会の激変とともに180度変わっている。

第 5 章

ファミリービジネス化する結婚
——結納金は年収の10倍以上

中国語で「彩礼」と呼ばれる結納金が農村部で高騰している。2000年の歴史を持つ古い習慣が、なぜ今、急速に現代化する農村でよみがえったのか？　photo=iStock

†ある農村の母の嘆き

全国と北京の若者について書いてきたが、ここで視点を全人口の36％に当たる5億人以上が住む[21]中国の広大な農村に移してみよう。

2019年の春節に中国北西部の甘粛省《ガンスー》に里帰りした後に出稼ぎ先の北京に戻ってきた王さんは、中高生2人の息子の将来の結婚について早くも頭を抱えていた。「毎年値上がりしている結納金は、今年帰ったら、18万元（約360万円）になっていた。せめて10万元（約200万円）ぐらいならどうにかなるけど、2人分もどうしたらいいの……」という。

確かに、18万元と聞いて筆者も耳を疑い、聞き返してしまった。これは18年の全国の農民平均年収（1万4600元＝約29万円[22]）の12年分以上に当たる。王さんは長年、北京に出稼ぎに来ており、多くの家と会社の掃除を掛け持ちしているので、月収は7000元ある。月収7000元（14万円）は中国ではどのくらいの収入に当たるのだろうか？　中国は地域、専門・業界、学歴、時期によって差が大きいので非常に難しいのだが、目安までに4年制大学新卒の2021年の平均的月収はざっと5800元とする統計がある。[23]また、

2022年6月の会議で楼継偉（ロウ・ジーウェイ）・元財政部長は中国の9割の人口の月収は5000元以下といい、20年3月に李克強（リー・クァチィアン）首相は6億人が月収1000元以下で暮らしていると発言している。北京では、30代でもITや金融関係者など月収3万元（60万円）以上を楽に稼いでいる人も珍しくない一方で、大多数に目を移せば収入レベルはまだ低い。その中で、王さんの収入は特別に低いわけではないが、それでも18万元は、飲まず食わずで年収の丸々2年分に相当する。

また、王さんが結婚した20年前の結納金は400元だったというから、その間で450倍になったことになる。いずれにしても、異常な高騰ぶりだ。ちなみに日本では結婚の際に女性の家に結納金を贈る人は元々少ないが、贈る場合でもせいぜい月給の3倍ほどだ。

結納金の話題が中国で注目を浴びるようになったのは2015年前後からだ。15年の春節には国営の中国中央テレビも「法外な結納金」に関する調査報道番組を制作している。その番組の中で、農村の結納金は平均で十数万元から高い所では20万～30万元（400万～600万円）に高騰していると述べている。あまりの高騰に驚き頭を抱えているのは王さんだけではない。

政府も年初の政策指針を示す19年の『中央一号文書』の「農村ガバナンスの整備、農村社会と安定維持」の項で「法外な結納金などの悪しき社会的風習」に対策を講じるよう求めている。長年、中国政府は貧困農村支援を行っているが、後述する通り、近年の結納金の高騰を受けて、元々貧困を克服したばかりの農家が、結納金を工面するために、高利貸しに借金をして息子に結婚をさせ貧困に逆戻りするという現象が多数報告されている。[24]そのため、地方政府によっては、具体的に結納金の限度額を「平均年収の3倍以内」や「6万元（約120万円）以下」などに定めるところも出てきている。政府がいうように、放っておけば「農村の安定」を脅かす深刻な問題になりつつある。

高騰する結納金と補償金としての意味

中国では、結婚の際に嫁の家に結納金を送る習慣は2000年以上の歴史がある。広大で多様な文化や風習がある中国では結納金の形式や額も千差万別だ。例えば、後述する中国中央テレビの調査報告によると、[25]山東省のある村の結納金は「（現金札1・65キロ）3斤《ジン》3両《リャン》」（1・65キロの100元札＝約10万元≒200万円）、「一動一不動《イードンイーブドン》」（〈動く〉車と〈動かない〉家）、「万紫千紅一点緑《ワンズーチイエンホンイーディエンリュ》」（紫色の5元札1万枚、赤い100元札千枚、緑の50元札少し＝6万元強≒120万円）と歌のように語呂合わせになっているのが基本という。現

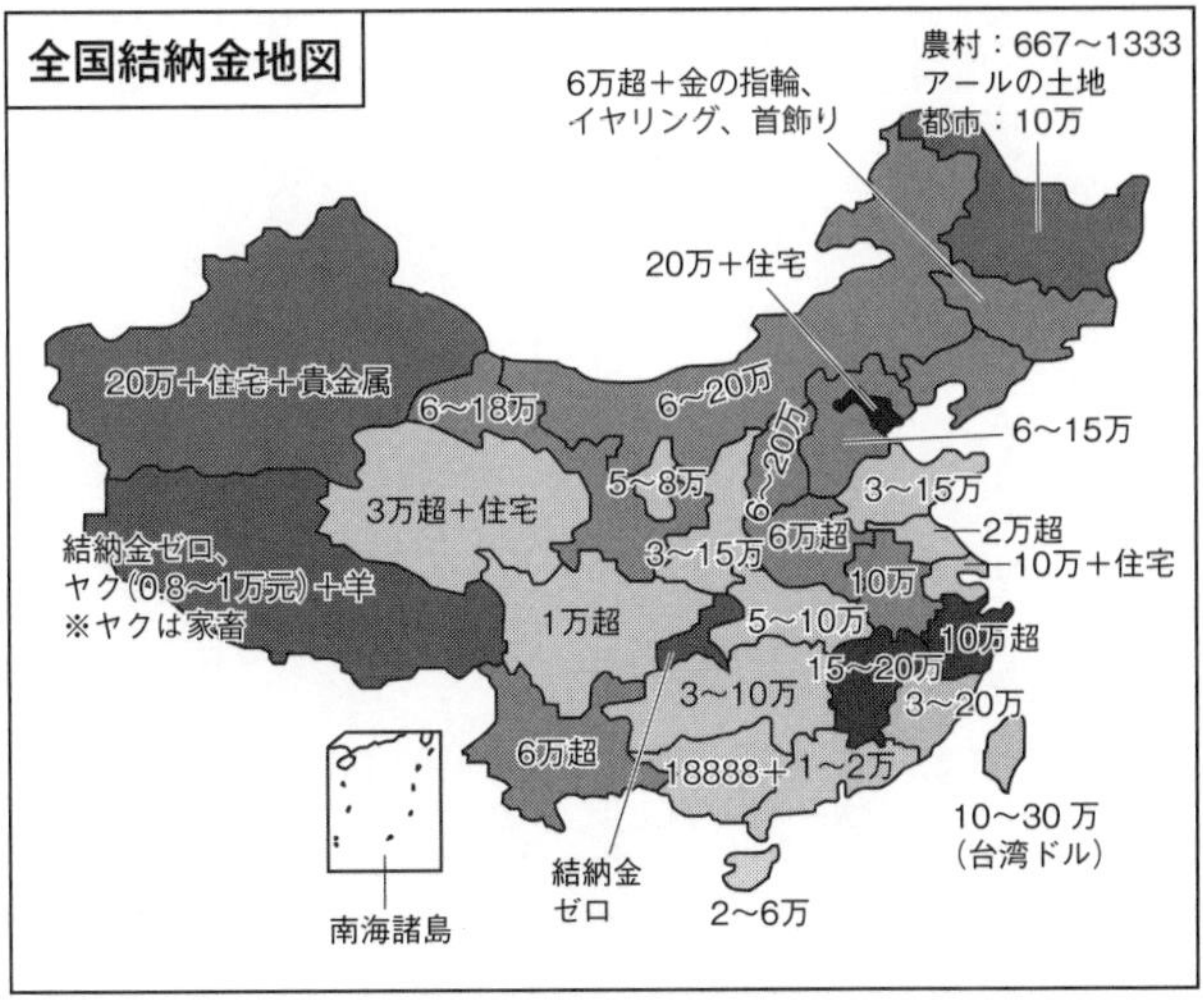

全国結納金地図。単位＝元（出典：2013年の全国結納金地図をアップデートする形で、人民日報海外版の記者が作成し、2017年2月20日、人民日報海外版5ページに掲載されたもの）

金を野菜の如く重さや色で示しているが、合わせて16万元（320万円）もの大金に上る。現金の他にも家と車が必要で、さらに伝統的な金銀の装飾品や服を贈る地域もある。

また、昔からずっと存在していた結納金が高騰し始めたのは2010年代半ば以降だ。中国のメディアで高額結納金の問題が報道されるようになったのも2013年6月にテンセント系不動産情報大手の重慶新浪楽居《チョンチンシンランラージュ》が微博で公開した「全国結納金地図」以降だろう。

この地図には文字通り中国全土の結納金金額が示されている（前頁の図）。読者も想像に難くないだろうが、中国の経済発展は東の沿海部は発達しており、内陸の西南部は貧しい。結納金額も経済発展と平均収入の増加に比例して、東高西低かというと実はそうではない。実態はその逆だ。

ここで、農村発展と格差についてみてみよう。中国で相対的に貧しいと言われる内陸部も以前と比べると確実に底上げはされており、発展は目覚ましい。しかし、比較の対象の「以前」に当たる起点は「（飢えずに）どうにか食べていける」という状況で極度に低い。つまり、非常に低いスタート地点との比較で近年は大いに改善されている。一方、沿海部での成長スピードは非常に速いので、内陸部の伸びは沿海部に追い付かない。その結果、内陸と沿海部の格差は開き続けている。

ただ、この点は、同じ「格差の拡大」でも、日本のように中流以下の収入が従来比で悪化する中、ハイエンドの収入だけが上に伸び、上下双方向に開く形とは質的に違う。つまり、中国の農村の人たちから見ると、親の代など昔と比べればずっと良くなった一方で、都市部などで急にリッチになった別の人たちと比べると自分たちは差を開けられている、というのが実感だろう。

「経済成長している間は、社会に不公平感や格差はあってもある程度は許容できます。ただそれは成長が持続することが前提であり、成長が止まった時にパイの奪い合いが始まります」[26]と厳善平・同志社大学院教授が指摘しているように、これまでは自分の足元では右肩上がりだったため、都市部との比較では悪化する格差の矛盾が許容されてきた観が強い。問題はそれが止まった時だろう。

結納金に話を戻すと、このように、全国で結納金の内容や額はさまざまだが、一つ共通する点がある。それは男尊女卑の封建的風習が色濃く残り、辺鄙《へんぴ》で貧困な地域ほど結納金が高騰している点だ。反対に、同地図では重慶市《チョンチン》のように経済が発展した地域は経済後進地域（例えば、20万元の新疆ウイグル自治区）よりもずっと安い[27]。

また、同様に、辺鄙で貧困な地域ほど結納金が高いというパターンは甘粛省の現地調査[28]からも見て取れる。同じ県内の農村でも、郷鎮《シャンチエン》政府所在地の中心地に近いエリアに住む家に嫁ぐ方が、山の中の村の家よりも結納金が少ない。また、嫁ぎ先個人の経済状況を比較すると、富農の方が、一般農民の家に嫁ぐ場合よりも結納金が少ないのだ。

この例でも明らかなように、経済発展の程度、即ち収入レベルと結納金額は一貫して反比例している。90年代から中国の農村開発に関わっている中国の農村開発専門家は「貧困地域には女性が嫁に来たがらないので、その分、結納金を高くするしかない」と説明する。つまり、値上がりが止まらない結納金は貧困農家に嫁いでもらう補償金の色彩を帯びており、広がる格差の底辺を成す貧困問題の裏返しでもあるのだ。貧困農村は貧しいがためにかえって多額の結納金を求められるという二重苦に直面しているといえるだろう。

貧困農家の息子の結婚に際して、結納金がこのように高騰している今、彼らの取りうる選択は無担保で借りられる民間の高利貸しから大部分を借金として借り入れるか、結婚を諦めて「光棍児《グアングンエア》」（男やもめ）として独身を通すしかない。それは、依然、非常に古い観念が生きている伝統的な農村社会においては「失格」家族や「失格」息子の烙印を押されて生きることを意味する。先の王さんがまだ学生の息子たちの結婚に今から必死なのは、これだけは農村で生きる母親として受け入れがたい選択だからだろう。

†中国の貧困農村の昨今

筆者は2000年代に貴州《グイヂョウ》省で貧困農村の開発支援に携わった際に、隣の四川《スーチユアン》省などの少数民族農村を含め各地の貧困農村を訪れる機会を得た。広い中国の農村部の中には数百年、もしかすると数千年暮らしぶりが変わっていないのではないだろうか？と思わせる、時代からぽっかり忘れ去られたような生活状況が所どころ残っていた。

もちろん、その後20年の時間が流れている。中国の急速な発展を経て、農村全体はかなり底上げされたのも事実だ。中国の貧困人口削減規模は1981年~2011年の30年間の全世界の貧困削減人口の72%を占める。[29] その意味では中国は世界に誇る貧困削減を実現した優等生でもある。

中国の驚異的な経済発展の影響は確かに農村にも波及している。今では、インフラ整備が急速に進み、県《シエン》（中国の行政単位は直轄市《ヂシアシ》・省《シエン》――市《シ》・区《チュ》・県《シエン》――郷《シアン》・鎮《ヂエン》――村《ツン》）の中心地の生活条件は飛躍的に改善された。その当時も、どんどん空港や高速道路が開通していったが、それにより、それまで早朝に出発して丸一日かかった少数民族県の中心市までの移動がたった3時間ですむようになった。

こうしたインフラの開設により、現地の人の生活全体が音を立てて変わっていったのを筆者も目撃した。おそらく、農村部での時間の圧縮度は、都市部以上だっただろう。交通の便が良くなると、経済作物の販路が広がり、出稼ぎも便利になり、農民の現金収入は目に見えて増えた。外の人間の往来が増え、上手に観光資源を売り出した地域では、観光業なども飛躍的に伸びた。特にインフラ整備のスピードは急速で、貧困県でも中心部の学校や目抜き通りの商店街、立派な地元政府機関やきれいなトイレなどが驚くスピードで整備された。そして、農村にも競争と合理主義を両輪とする経済発展の波が一気に押し寄せた。ただ、問題はそこからまた、丸一日かからないと到着しないような本当に辺鄙な農村だ。その当時、貧困対策専門家が指摘していたのは、一定の投資で改善が望める貧困農村の改善はすでに行われており、残っているのは、「陸の孤島」のようなハードコアの貧困村という実態だった。そこを救い上げるには、それまでの支援の数倍の投資が必要となる。つまり、単位あたりのコストが非常に高くつくので、これまで通りの支援では改善が望めない。さらに、出稼ぎは増える一方で、こうした村の空洞化は激しい。20年前でさえ、農村に行って会えるのはすでにじいちゃん、ばあちゃんと子どもたちばかりだった。中卒以上の独身者はもちろん、若夫婦は子どもを祖父母に預けて都市部に出稼ぎに出ていた。

本章の冒頭で触れた王さんもまさに子どもが生まれて以来、子どもは両親に預けて夫と二人でほとんどの時間を北京に出稼ぎに来て過ごしている。王さんのように、農村部から都市部へ出稼ぎに来ている労働者は2億9251万人にも上る。[30] 王さんも今でこそ、地元の高校を中退した次男が北京に出稼ぎに来たので、初めて親子で一緒に暮らせるようになったものの、それまで子どもの小中高時代は祖父母に預けっきりで、年に数回会うだけの親子別々の家族生活を送ってきた。

中国ではこのように両親が出稼ぎに行ってしまったため、田舎に残された子どもを「留守児童《リイウシュウアートン》」と呼ぶ。その規模は2010年時には約6000万人超だったとする政府系機関の報告も出ているが、最も保守的な中国民政部の公式データでは18年は約700万人とされている。[31] 幼児期に親に守られているという安心感を持って育つことが人の一生の人格形成にとって核となるのは周知の通りだ。それが得られずに心理的な苦労を強いられている寂しい子どもの存在は中国の発展の影だろう。しかし、貧困農村に居残っても現金収入が得られる可能性は非常に少ない。若い夫婦にとって、出稼ぎ以外の選択肢は限られる。

一方、都市部の労働力は彼らに大きく依存している。廉価で瞬時に運んでくれる宅配やフードデリバリー、常に駐輪場所を人の手で移動させる必要のあるシェアバイク管理員のほか、清掃業や新型コロナウイルス対策で北京の街中の道、マンション、商店、モール、学校の建物の入口に24時間体制で配置された警備員やPCR検査人員など大量のブルーカラーの仕事はすべてこうした農村からの出稼ぎ労働者によって支えられている。彼らなしにはデジタル化された便利な都市生活は動かない。

このように、貧困農家が置かれている元からの厳しい状況を考えると、貧困ゆえに他より多く求められる近年の結納金の高騰は、彼らにとってあまりに理不尽な打撃だ。そして、貧困ゆえにお嫁さんがもらえない貧困農家の若者の出現は、若い独身青年自身にとっては言うまでもなく、その家族にとってもひいては中国全体にとっても前代未聞の社会問題のマグマになりつつある。そのことは前掲の政府の文章でも触れられている通りだ。

†何が結納金を高騰させたのか?——男女人口のアンバランス

ここで、結納金高騰の原因について考えてみよう。背景は一体何なのだろうか? そして、昔からあった結納金がなぜ、21世紀の今になって新たに高騰しているのだろうか?

まず、この問題の根底には中国農村部に残る男尊女卑の古い考え方がある。つまり、各家庭で、女子より男子を重んじるため、ただでさえ男子人口が増えやすい傾向が下地にある。前述の通り、中国の都市部の女性は学歴も高く日本の女性以上に家庭内の地位も高い一方で、中国の農村部では一家の血を継がせるために男子を産まなくてはならないという封建的な家族観がまだ根深く残っている。ただ、こうした男尊女卑の考え方は数千年にわたって一貫して中国の農村に存在してきた要因なので、近年、初めて起きた結納金の高騰を説明できない。

近年になって農村の結納金を高騰させた要因は、やはり中国の一人っ子政策が大きい。前述したように、中国は人為的に人口を抑制する目的で、1組の夫婦に原則1人の子どもしか認めない「一人っ子政策」を1979年に実施したが、これは当然のことながら農村では強い抵抗を受けた。農村部では当時も「跡継ぎは絶対に必要」という伝統的観念が根強かったからだ。その後、1人目が女子や病気持ちの場合などの例外枠が設けられ、実質上多くの農村で2人までは子どもの出産が可能になると、男児2人の出産が理想形となり、男子偏重傾向が拡大された。王さんの家も、中国中央テレビでインタビューに答えている男性も男兄弟2人の家族だ。

もう一つは、医療技術の進歩だ。90年代後半に医療機器の超音波（エコー）設備が農村部の病院でも普及すると、男女産み分けの技術的ハードルは下がり確実に早い段階で女児を間引くことができるようになった。

一人っ子政策下にあった2015年、当時の国家衛生委員会科学技術研究員の呉尚純（ウー・シャンチュン）は中国の人工妊娠中絶数は年間で1300万人に上ると指摘している。[32]国家機関の公式なものではなく、一専門家の示したデータではあるが、当時の年間新生児総数を上回る大規模な中絶が一人っ子政策時代に実施されていたことがうかがわれる。そして、その多くが女児だったのは次に紹介する統計から明らかだ。

†男子の出産偏重が生む女子不足時代へ

このように、面々と続く男尊女卑の伝統に子どもの出産制限、さらにエコーによる産み分け技術の浸透が重なり、農村部では男子の出産偏重が起きた。2009年末に中国社会科学院が公表した『2010年社会青書』には08年時点における、1989、94、99、2004年からのそれぞれ5年間に出生した男女比が出ている。女児の出生数を100とすると、男児の比率はそれぞれ114、116、121、123になっている。男児のほうが自然死亡率も高いため、正常値は103~107とされるが、時代を追うごとに男児が正常値を大幅に上回って増えていることが分かる。つまり、1990年代中盤以降に男女バランスは加速的に崩れたのだ。

さらに、最新の中国統計年鑑2021年9月の公式データから、2020年時点での年齢別男女比をみてみよう。前掲の09年時の社会科学院の調査と比較すると、アンバランスさの深刻度は減っているが、現象の傾向は読み取れる。近年の性別比のアンバランスのピークは20年時点で15〜19歳の116（女子100とした時の男子の比率。以下同）。次に10〜14歳の115、5〜9歳の114、20〜24歳の113と続く。つまり、01年〜05年をピークにその前後の1996年〜2015年生まれの間で大きく男女バランスが崩れているのが分かる。

中国の合法結婚年齢は男性22歳、女性20歳だが、2019年の平均結婚年齢は、最低の湖南《フーナン》省は25歳、北京市は27歳、上海市は30歳、広東《グアンドン》省は30・8歳、最高の江蘇《ジィアンスー》省は35・8歳だった（ちなみに2020年の日本の平均年齢はほぼ30歳）。これを元に、約30歳で結婚すると仮定すると、男女比がアンバランスな人口グループの婚期は2026年から45年にピークを迎える計算になる。結婚したい男性が女性を見つけられない状況が本格化するのはこれからだ。

また、2021年の国家統計局のデータによると、20年の中国男性総人口は7億2141万人、女性は6億8836万人だ。結婚率が100%だったとしてもすべての年齢層をひっくるめてざっと約3300万人の男性が女性より多い計算になる。

一方、先ほど述べたように結納金の高騰が伝えられるようになったのは2015年前後からと約10年のズレがあるのはなぜだろうか？　これは、男女比のアンバランスが激しい貧困農村に行くほど、結婚年齢が30歳よりも低いためだろう。早く結婚する地域の結婚年齢は20歳前後とすると、10年先取りした形で嫁不足が表面化している可能性が高い。10代に事実婚をして、20歳前後で子どもを生み、両方が合法年齢になったら役所に結婚届けをするというケースも見られるからだ。そのため、農村では40代で孫がいる人も珍しくない。

こうしてみると、男女比がアンバランスな世代のうち、20歳前後で結婚する一派が２０１０年代半ばから婚期を迎えている。２０１０年代半ばは、結納金の高騰し始めた時期とちょうど重なる。男女人口比の崩れ（95年以降）と結納金の高騰時期（２０１５年ごろ以降）は出産年齢を20歳として計算すると重なる。

†競争社会の波は農村にも

このように、結納金高騰の一番の背景には男女の人口バランスの不均衡が挙げられるだろう。ただ、それ以外にも近年の社会文化の激変の中に結納金を上昇させた要因がある。甘粛省の農村調査は、古い男尊女卑の考え方が女子人口の減少を招いたことと合わせて、金銭至上主義文化の浸透をその要因に挙げている。数値ですぐに「嫁の価値」が比較可能な結納金は多ければ多いほど、本人にとっても、嫁を出す家にとってもメンツが立つ。そのため、多くを求めるインセンティブが働くからだ。

後述する中国中央テレビのドキュメンタリー番組で、山東省でも村の誰かが結婚するという話が出ると、まずみんなが最初に聞くのは「いくらで買ったんだ？」という質問だと紹介している。同様に、社会科学院社会学研究所の張翼（ヂャン・ユー）教授も結納金高騰の原因は、女子人口の減少はもちろんあるが、さらに、文化的には農村におけるすべてをお金で測る金銭至上主義の価値観の浸透があると指摘する。狭い農村社会のなかで誰の結納金が多かったという「メンツ競争心理」に火がつき、それが結納金の高騰を招いているという。

さらに、張翼教授は不均衡な経済的発展の結果、人口の流動性が大きくなった点も挙げている。[33]これも新しい中国ならではの要因だ。同様に甘粛省の調査を行った劉星圻（リウ・シンチー）氏も都市と農村間の発展の不均衡が拡大し、農村人材がますます豊かな地域へ引き寄せられるようになった点を挙げている。[34]中でも、土地や家への縛りが男性ほどない女性は、農村を離れて都市へ移入しやすい。女性の出稼ぎの増加が、もともと少ない農村部の女性人口の減少傾向に輪をかけているという。

†若者の結婚を歪める面子競争心理

次に、中国の伝統的結婚観について振り返ってみたい。というのも、国営の中国中央テレビ（CCTV）が2015年2月に放映したドキュメンタリー番組[35]「新聞調査《シンウエンディアオチャー》」で目にした甘粛省の厖建竜（パン・ジエンロン）さん（27歳）の結婚観があまりに異質なものだったからだ。彼は過去3年間、春節の休みに出稼ぎ先からふるさとに戻ってくるたびに地元で真剣に婚活をしてきたが、まだ相手が見つからない。彼は「結婚の話といってももう二人の感情については皆語らない。語るのは物質面だけだよ」と冷ややかに話す。そして、彼が求める結婚相手への条件は、二人の相性や感情でも、物質的豊かさでさえない。

「頭がおかしくない女子なら誰でもいい」

結婚紹介人に結婚相手の条件を聞かれた厖さんは一言、そう答えたのだ。何かに押されるように真剣に語る彼を見て、筆者は思わず耳を疑い、胸が押しつぶされる思いだった。また、厖さんのように地方から出稼ぎに出る若者たちの典型的な結婚スケジュールは出稼ぎから里に戻っている春節前後の数週間だけだ。その間に婚活と結婚式を両方とも終わらせるという。まるで、結婚は家の義務として「さっさと済ますべき任務」のようだ。北京などの大都会や日本で見る個人同士の意思や恋愛に基づく「ロマンチックな」結婚とあまりにもかけ離れている。なお、同番組の最後には、厖さんは相手を見つけてゴールインしたと報じられている。長年の婚活が実を結んだのだから、これはめでたいことだ。その後、彼らはどんな生活を送っているのだろうか。

親は倹約して息子のために家を建て、結納金を準備し、お嫁さんを探す――。彼らが育った伝統的な中国の農村では、これが親の役目とされる。その分、息子は結婚して子を作り将来は親の老後の面倒を見る。

一方、娘を持つ親は結納金を受け取ることになる。これは、娘を「あげる」男性の家からこれまでの養育費と娘親の老後保障代としての意味があるという。結納金の額は先にも触れたとおり、娘の価値と婿の経済力を表すとされているので、多いほど面子《メンツ》が立ち好ましい。この女性家族からのとどまるところを知らない「面子競争心理」については先に触れた通りだ。

こうした農村の伝統的な結婚は、本質において子づくりと親の老後保障を目的とする「家と家」による「家族プロジェクト」だ。もしかすると、これは、社会保障が未整備で、貧しく厳しい社会で生き抜くための方策なのかもしれない。ただ、そこには日本で生まれ育った筆者がこれまで当たり前だと思ってきた「独立した個人」は不在だ。「あそこの嫁はいくらでももらってきた？」と近所の人々が噂し合い、貧しい農家は負債を負ってしか実現できない結婚。本人たちからすれば、これはあまりに理不尽だ。

先に触れた張教授は結納金の高騰について、政府の上からの禁止令や限度額の提示だけでは解決につながらないと警鐘を鳴らす。都市部が急速に発展する一方で、農村は産業もなく、魅力もなく、空洞化していることが背景にあると指摘する。また、中国の農村部を突然襲ってきた経済の市場化と男女の人口バランスの崩れが同時に起き、その矛盾が（貧しい家の息子は）お嫁さんがもらえないという現象を巻き起こしていると分析する。農村や地域全体の発展の促進なしには、この問題の解決もないという張教授の指摘は重い。華やかな都市部の発展の裏で、中国の農村部では積年の圧縮型発展による影が若者たちの結婚を歪めている。

第 6 章

中国の住宅事情
——住宅私有化の波が呑みこむ少子社会

「結婚するなら新居を準備してから」と言い出した都市部のカップル。不動産価格はうなぎ登りで、億ションも珍しくない。写真は北京市内のマンション建設現場。

2014年10月、photo=共同

†億ションも当たり前、世界一高い中国の不動産

農村部では結納金が高騰する一方で、都市部では住宅価格が高騰している。中国の不動産価格は統計のとれる1991年以降、リーマンショックなどの例外年を除き、ずっと右肩上がりで上昇を続けている。理論上は「全ての土地は公有」と位置づけられている中国では、土地の売買は「所有権」ではなく、40年、70年など一定年数の「使用権」の売買という理論で説明される。つまり、実質的には公有ゆえにタダで得られる土地を地方政府は第三者のデベロッパーに売買し、そこで生じる莫大な収入は自分の財布（財政収入）に入れる。地方政府が安い補償金と引き換えに住民を立ち退かせて土地を開発し、デベロッパーに売却すればその収益は政府のものとなるのだから、地方政府にとって土地開発は文字通り魔法の金のなる木だ。

中国で住宅開発ブームがなかなか終わらない理由の一つに、本来、経済運営の審判であるべき政府が、土地開発においては最も儲かる主力プレーヤーでもあり、一人二役を担っている点がある。資本家、不動産開発業者（デベロッパー）、金融機関と並んで地方政府は住宅価格の上昇により利益を享受する側にいる。不動産価格の高騰は一種の官製バブルの

側面があると言われる所以《ゆえん》だ。

2010年代後半は、全国の地方政府収入の総額に対して土地からの収入は2割強～3割弱で推移しており、土地財政への依存度は高い。土地財政への過度の依存は地方財政の自立や持続可能性の観点からもリスクが高いと指摘されて久しいが、2016年以降急速な勢いで依存が再拡大し、解決は先延ばしにされたまま今日に至っている。

その結果、先述した通り、中国の不動産の高騰ぶりは驚異的なレベルに至っている。先進国の住宅は年収の約10倍、東京は約15倍弱で買えるのに対し、中国の住宅は全国平均でさえ約20倍以上、北京市や深圳市など大都市においては40倍以上になる。概算でも年収比で計算すると、東京の2倍以上の高さになっている。

具体的には、本書「はじめに」ですでに触れた通り、北京市の北半分の第3環状道路以内で、新婚カップルが住む理想的な広さとして市場でも主流の広さの100平方メートル以上の3LDKの物件で1億円以内のものはまずないだろう。もしあれば、それは間違いなく「穴場」物件だ。例えば、第2と第3環状道路の間に位置する3LDK（建設面積138平方メートル、使用面積はこれの約9割なので、124平方メートル）の築20年になる「ごく普通のマンション」も1600万元に高騰している。2001年の発売価格から約18

倍になっており、円安の今はざっと3億2000万円になる計算だ。豪邸マンションでも何でもない、入り口の壁がボロボロに剝げているような築20年以上のマンションで3億円以上上だ。

ちなみに、住宅の広さは、『中国全国国勢調査2020』によると全国の「1世帯」当たりの平均居住面積は約111平方メートルで、日本（93平方メートル、平成22〈2010〉年政府統計）よりも、ひと回り大きい。

†資本主義の大波と「伝統」の不思議な結合

このように、住宅価格が右肩上がりで高騰していく中で、結婚の形に影響が出ている。それは元々中国の結婚と新居の獲得が結びついてきたことも関連しているのだが、驚くべきことに農村部に根強く残っていた「家と家」の伝統的な結婚観への回帰が都市部の結婚でも起きているのだ。

例えば、80後（バーリンホウ）の北京生まれ、北京育ちのおしゃれなエリートキャリアウーマンの張さんは結婚を真剣に考えていた2019年に結婚の条件について聞いたところ、「私たち80年代生まれの結婚では、男性が住宅を購入して提供するのは当たり前。なぜなら、新婦の親たちは依然、娘は外に行く弱者だから男に物質的実力（住宅購入）によって、将来的に自分の娘に物質的な苦労をさせないことを証明させようとするからね」と語っていた。

張さんの話の主語は新婦（つまり自分）の親だ。ここには結婚の当事者であるべき若夫婦の意志も展望も希望も不在だ。その上、新婦の親が婿候補の「（動物的な）生存能力」を測るかのような物言いだ。

一方、興味深いことに、北京で張さんより一つ上の世代の70年代生まれたちが結婚した90年代末から2000年代前半にはこんなものの言い方をする人には出会わなかった。その当時、北京などの都市部では、結婚の際に男性側に住宅や車の所有を条件に求めるという考えは主流ではなかった。その頃は日本同様に住宅は将来、「二人で努力して一緒に購入するもの」だった。実際、不動産が高騰する前には二人だけでローンを組んで買うことが可能だった。

後述する70後（チーリンホウ）生まれで河南省出身で北京で結婚した陳さんもこの当時に結婚したが、家も結納金も全くやり取りしない「開明的な」結婚だったと振り返る。筆者の元同僚の河北省出身で北京の名門大学卒の70年代生まれ（いわゆる「70後」）の女性は

2001年に江西省出身の男性と北京で結婚したが、同じく住宅を誰が準備するなどという話は全く出てこなかったと振り返る。当時はそれが「常識」だったのだ。

さらに、著名なネットインタビュー番組『十三邀《シーサンヤオ》』[36]で「70後」の出演者も現在の「80後」以下の若者たちの「血縁（依存）への回帰現象」に驚きを示している。主宰者の許知遠（Xu Zhiyuan／シュ・ヂーユエン）は「僕らの世代の人は、社会はどんどん個人主義の方式で回るようになると思っていた。……より自分の努力に頼り、人と人の関係はより平等になり、血縁関係の影響もだんだん弱まると思っていた。ところが、この数年は強烈な逆戻りが起きている。僕らは全く考えも及ばなかったことだけど、若い世代の間では、自分の結婚相手選びを両親に手伝ってもらうのが必要になってきているよね！」というと、北京大学卒で現オックスフォード大学（社会人類学）の項飙（Xiang Biao／シャン・ビャオ）教授は「そうそう！ 本当にこんなこと全く考えつきもしなかったことだよ。親の紹介した相手と結婚だなんて、僕らの頃には品格が下がる狂った行為と思われていたよなあ」と両者は興奮気味で意気投合して語っている。現在の若者世代の親丸抱え結婚は、同じ中国人の眼にも、世代が違えば、驚きに映る。

彼らの驚きは筆者の感覚ともぴったりくる。ここで彼らが話しているのは、結婚相手の選定に両親が関わるという新しい現象に対する驚きだ。若者の結婚に親が深く関与するようになると同時に、その親は子どもの結婚相手の住宅所有を結婚の条件にし始めたのだ。

許氏は1976年生まれ、項氏は72年生まれだ。先述の「男性が住宅を購入して提供するのは当たり前」と語った張さんは89年生まれなので、たった十数年の違いでこれだけ認識が大きく変わったことになる。ただし、後述するように、この10年は不動産市場でも天変地異に近い大変化が起きた10年だった。

現在、全国の人々が「常識」と思っている「結婚するなら、男が家を準備するもの」というルールは一体いつ、どうやって生まれたのだろうか？　結論を先に言うと、この「常識」は2005年以降に、住宅価格の高騰とともに突如誕生した珍ルールなのだ。以下、具体的にこのルールの誕生過程を見てみよう。

†住宅改革――住宅と結婚が繋がったわけ

ここで、新しい「常識」が誕生する背景となった中国の住宅制度について振り返ってみよう。「社会主義」の中国では1998年の住宅改革までは、都市部の住宅は公有で、国が使用を保障していた。就職もその頃までは、大学を卒業の際に大学の指導教官が各学生の就職先を割り振る（中国語で「分配《フェンペイ》」）か、それ以外は、親や親戚などのコネを駆使して自分で就職先を見つけて就職するものだった。就職後は、北京に家がない場合は勤め先の組織（「単位《ダンウェイ》」）が独身用の狭い質素な社員寮の部屋を提供した。そして、結婚したら二人で住めるもう少し大きめの部屋を用意してくれるというのが、一般的な社会主義の住宅分配システムの流れだった。

それが、98年になって「勤務先はこれまでのように個人に住宅を分けてはくれないことになるらしい」という衝撃的なニュースが流れた。本章の冒頭で触れたように、個人が住宅の70年間の「使用権」を買い取り、自分の私有財産と位置付けたのは、この98年の改革以降の話だ。

国はもう福利住宅をくれないというニュースを市民はどう聞いたのだろうか？　その当時の雰囲気は、本書の「はじめに」でも触れたように「明日はもっと良くなる」という高揚感に溢れていた。住宅改革とともに、それまで想像もできなかったような広くて、明るいマンションがお金さえ出せば、市民の手に入るようになる、とその夢のような新たな可能性に皆うっとりしたものだった。正直、友人たちが住み始めた日本の平均的なアパートよりも広く明るい部屋を見て、以前の狭くて暗い独身寮との差に筆者も息を呑んだのを覚えている。中国の新しい時代の幕が開いたのだ。

こうして、全国で一挙に一大不動産ブームが起こる。2000年に北京市の中心に当たる東第2環状道路沿いにあった筆者の15階の家の窓からは、見渡せる限りのすべての方位にビルの工事現場のクレーン車があっちにもこっちにも見えた。北京は音を立てて平屋や低層の旧式アパートを壊し、高層ビルやマンション開発の時代に突入した。2005年の北京市の不動産市場規模は2020年の5倍もあったと言うから、まさに、建設バブルが始まった頃だった。

†拡大する北京と不動産ブーム

こうして、住宅改革が本格化してきた2002年頃の北京は浮足立っており、友人と合うと食卓でみんなが交わす話題はただ一つ。「家買った?」「1平方メートルあたりの価格はいくら?」これればかりだった。そして、周りの友人たちは「当然!」とばかりに、次々に家を買っていった。こういう時の判断力と決断の速さは中国の人には及ばない。波乱万丈の人生を伊達に歩んでいない。日本でのほほんと育った筆者と違い、彼らはこの大地で生きるための嗅覚が発達している。

この当時、北京で暮らしていた日本人で経済的感覚を持って中国人のように動いた人はごく一部だった。例えば、当時、約650万円で買えた70平方メートルの部屋の購入情報を得た筆者は北京が好きでよく遊びに来た東京在住の日本人に勧めたことがある。中国のマンションは先も触れたように100平方メートル以上の大型が主流で、この手の「小型」な物件は希少で人気だった。数カ月待たされた後に運よく購入する権利を得たが、「買えるけど、持っていても無駄ね」と知人は言い、結局その購入は放棄してしまった。その部屋は今や15倍以上の金額に高騰している。当時、一体誰がそんなことを予想できただろうか?

また、その頃「こんなに市の中心から遠い所に家を買ったのか?」と思った知人の家も北京市がどんどん外に向けて開発され、拡大するに従って今では決して「遠く」の部類ではなくなった。本書「はじめに」でも触れた通り、北京市は1996年には市内の環状道路といったらまだ城壁を取り壊して作った第2環状道路しかなく（第1環状道路は存在しない）、第3環状（全長約48キロ）を工事中だったのだ。それが、どんどん拡大し、第4環状（2001年、約65キロ）、第5環状（15年、約100キロ）、09年には走行距離188キロの第6環状道路まで広がった。山の手線一周が34・5キロだから北京の圧縮型増殖のスピードと規模の大きさを想像して頂けるだろう。

地下鉄も同じだ。北京の地下鉄は冷戦中の1971年に長安街の下を走る地下鉄1号線が、84年に城壁跡を環状線上に走る2号環状道路の真下に地下鉄2号線が開通したが、2002年までは地下鉄も電車も北京にはこの2本だけで実にシンプルだった。ところが02年に北部郊外を半円形につなぐ13号線が開通したのを皮切りに北京の地下鉄は爆発的に発展し始める。現在は27本、783キロの一大地下鉄・電車網が複雑に絡み合い、一日当たりの利用客数は847万人に上る。

東京メトロの全走行距離は195キロ、利用客数は522万人（東京メトロ報告書、2021年）というから北京の地下鉄の建設速度の尋常ならざることが分かってもらえるだろう。北京はなんでも呑み込む怪物のごとく人、車、地下鉄、不動産を呑み込みながら巨大な都市に膨れ上がっていった。

「娘は『招商銀行』、息子は『建設銀行』」

2000年代の北京の圧縮型発展と不動産開発について触れてきたが、ここで再び住宅と結婚に話を戻そう。「結婚するなら、男性はアパートを持っていないと。今北京の女の子はだいたいこう思っているわ。『娘は（優良な投資を呼び込む）招商銀行、息子は（新居建設を担う）建設銀行』ってネットでよくいうでしょ」とは２０１２年当時に北京のコーヒーショップの若い女性店員が筆者に話した結婚観だ（招商銀行も建設銀行も実在する中国の大手銀行）。一体、どうやってこんな常識が生まれたのだろうか？

先述したように、２０００年代中盤以降から不動産価格は概算でも4～5倍以上に高騰し始めた。２０００年初期に約50万元（今のレートでは約１０００万円、当時は約６５０万円）だった市内の70平方メートルのマンションはその10年後には２１０万元（同４２００万円、２７００万円）に高騰した。そのあおりを受けて、以前は可能だった新婚夫婦だけの住居購入は、実質上不可能になってくる。

それなら、日本のように若夫婦はまずは借家に住んで20年ほど働き、お金を貯めてから二人で買うような習慣に変化する可能性は十分あったはずだ。しかし、借家市場も以前は存在しなかった新しい領域だ。白紙からの出発で法的に整備されていない上に、中国の人には馴染みもない。大家が「明日出ていけ」と言われれば出て行かざるを得ない不安定さは借家生活が中国で毛嫌いされた理由かもしれない。大家が雇った人がある日、勝手に家に入ってきて鍵を替えて居座り、契約期間中に家を追い出されたとは、数年前に北京のテレビ局勤務の友人から聞いた話だ。こんな時に公的に対応してくれる先が中国にはないのが現状だ。いずれにせよ、中国では日本のように大多数の若夫婦が借家を利用する道は開かれなかった。

その代わりに中国社会が選んだのは、家族総出で若夫婦に新居を買うという新しい道だった。不動産は持っていれば必ず価値が上がるという発展期の中国で醸成された「常識」の影響もあるだろう。今、どんなに高くても、将来はさらに価値は上がるのだから、今買わないのは損、という焦りに似た活気が中国社会にはみなぎっていた。それはある意味2022年時点から振り返ると経済的合理性を持った認識でもあった（ただし、初めての下落が噂される2022年以降はどうなるかはわからない）。激変する社会で、誰もが不動産は数少ない確かな将来への担保とみなし、絶対に買うべきだと考えて疑わない時代だった。

そこで登場したのが、親だ。結婚する若夫婦だけで家が買えなくなると、今度は一人っ子の親や祖父母たちが財的支援をするようになる。中国の一人っ子は両親と祖父母合わせて、「6個のお財布」を持っていると言われる。その上、元より中国の金銭感覚では、親族や親しい仲間の間では、細かくお金の線引きはせず、どんぶり勘定で助け合うのが基本だ。親しい者同士であれば、お金は工面しやすい。

また、一人っ子政策が生んだ小皇帝《シャオファウンディ》文化の一環で、親は子どものために犠牲を払うのは当たり前、という現代中国社会の独特の雰囲気も関係しているかもしれない。親は長年住んでいた立地の良い家を新婚の子どもに譲り、自分たちは辺鄙《へんぴ》な郊外に新しい家を買って移り住むという話は周りからもよく聞く。我がマンションのご近所さんも気がついたら、米国の大学院留学から戻って北京で働き始めた息子さんが結婚した相手と住んでいる。両親はどこかに引っ越したらしい。親の住んでいた一つ格上のマンションを空けてもらって、新婚夫婦が入居するという話は日本では聞かない。親も子どもも互いに依存し合う近い関係と、親が常に子どもを優先する一人っ子文化の産物かもしれない。

もう一つ日本人の目に映る不思議は、住宅購入を両親に頼る際に、新郎新婦の両家の支援に頼るのではなく、婿側だけで準備するもの、という基本形ができた点だ。なぜ、均等に両家ではなく、原則として、婿家族の責任なのだろうか？　これには、農村部の伝統が影響しているようだ。

前述したように、土地が豊かな農村部ではずっと住宅は婿が用意する習慣が残ってきた。そこでは、実家の空いた土地にレンガと木材で近所の経験者たちが集まって建てるなど、比較的安いコストで若者の新居確保は可能だった。また、前述したように、娘は他家に嫁に出したら「(二度と戻ってこない)撒いた水」となる見返りとして、婿は家と結納金を用意すべきとされてきた。しかし、よく考えれば近年の都会の嫁は常時実家に里帰りして両親の面倒を見られるので、他家に「あげる」ものではない。そして、前述したように都市部のマンションは天文学的に高騰し続けている。昔の農村の現実とは異次元だ。そもそも、文明の発展において文化は都市部から農村部へ伝播するのが主流だったのではないだろうか? なぜここだけ古い農村の伝統が都市部に輸出されるという逆流が起きたのだろうか?

それは、この農村の「伝統」を都市部に意図的に逆輸入させようとした関係者がいたからだろう。「新婦の母親たちの画一的な需要が不動産価格をつり上げている」(顧雲昌〈グー・ユンチャン〉・中国不動産研究会副会長)とは2010年ごろに有名になった表現だ。今でも「新婦の母は不動産価格高騰の元凶」というのは中国の人なら誰もが知るフレーズだ。結婚に住宅所有の条件を持ち込んだのは嫁の親たちと不動産会社であると中国では広く言われているが、筆者もその見方に賛成だ。なぜなら、婿が家を準備するというルールは彼らにとって好都合だったからだ。

先の項教授と許氏の会話を引用しよう。

項：「（不動産業界が故意にやったとは信じられないが）『剰女《シォンニュ》（売れ残り女子を意味する）』ということばを発明した最大の勝者は不動産企業だ。結婚しない余った女に大きな恐怖を生み、みんなに早く結婚するよう迫り、結婚の最重要事項は住宅購入とした。いわゆる新婦の母は不動産購入の最大の推進者、ってやつさ」

許：「（そうそう）ある意味、賤民《ジイエンミン》（「身分の最下層」の意）の概念を作り出した。その賤民になりたくなかったら、結婚して早く家を買えと言ってね」

項：「ここでの敗者は誰か？……精神的には全ての人が敗者だ。恥をかかされたような感じだ。道徳的には親に申し訳ないし、社会の価値に照らし合わせると恥ずかしい、と」「こうしてくると、全ての人の生活に対する理解は高度に均一化され、このことばの影響力の前で非常に脆弱になった」

彼らの違和感にも分析にも同感だ。２０１０年前後には、可愛い娘を嫁に出す親心として、相手の男性に多くを要求するのは親の愛の表現で、婿は愛する新婦のために家を買うのは当然というストーリーがまことしやかに中国社会で吹聴された。当時は、トレンディードラマが取り上げる最もホットな話題も「結婚と住居」だった。

また、大手ネット婚活の「百合網《バイハーワン》」と民政省傘下の組織が実施した「2011年中国人結婚状況調査報告」では68・3％の女性が「新居を買ってこそ、男は結婚できる」というあらかじめ設定された選択肢を回答に選んだ。そしてこの結果を「女性の約7割が『新居を買ってこそ、男は結婚できる』と考える」と中国メディアが大々的に報じて我々を驚かせた時の何とも言えない空気を筆者もよく覚えている。

また、百合網とネット不動産の「楽居《ラージュ》」が「2012年都市部若者の結婚新居観調査」で「誰が住宅を買うべきか？」と問うと、当時は52・4％が「二人で」と答えた一方で、46・1％が「男性が買うべき」と回答している。そうこうするうちに、あっという間に住宅購入は男性の愛の証という「常識」が造られていった。愛と道徳という最高位の価値を持ち出され、誰もがそれ自体を疑うことも、無視することもしにくくなった。この雰囲気をよく表しているのが以下のブログ記事だ。少し長いが引用しよう。

「新婦の母親に新郎が初めて会うときは緊張するものだ。なぜなら、3つの重い質問が待っているから。家は有るの？　車は有るの？　お給料はいくら？　と。新婦の母親の目には住宅は家庭の最も重要な部分。なぜなら家は家庭の幸福を包み込む場所で、一家を守る場所だから。多くの男性は自分が愛する女性のために努力して家を買おうとし、新婦の母親の要求も実現しようとするもの。こうして、新婦の母親は中国の不動産発展に不可欠な促進剤となり、男性たちは、新婦の母の鞭でよりよい生活を目指して努力するようになる。

新婦の母が細かく次世代の家庭運営について心配するのは、住宅は仕事や子どもの就学に影響し、日常生活にも影響を与えるからだ。家の選択が周到でなくてはならないのは、この男性が、自分の娘が幸せな一生を送れるようにしてくれるかを測るためであって、物質的なものを得るためではない」

この文章には、新婦の母が巧みに新郎に家を要求するのは、かわいい娘が幸福な一生を送れるかを「測る」ためで、男も愛しているならそれに応えるべきという先に張さんが話していたのと同じ理屈が盛り込まれている。こうして、「結婚するなら、責任ある男はマンションを準備しないといけない」という伝統に根ざした新しい「常識」がいつの間にか造り出され、あっという間に14億人の中国の人の間で広く共有されるようになった。そして、それは、2022年現在もこの中国の若者たちの結婚を大きく束縛している。この「常識」が日本など他国の人にとっては非常識であることに、ほとんどの中国の人は気づいていない。

その結果、新婚夫婦の不動産購入は次第に「家族プロジェクト」と化してしまった。数千万円以上の人生最大の買い物という一大経済行為の登場の前に、運悪くすると若夫婦の恋愛と結婚はむしろ、その「おまけ」に成り下がりつつある。親は子どもの結婚話に介入し、まずは良い家を持っている男性を探せ、という現金な条件を平気で口にする親も登場した。「男は家を持ってこそ結婚可能」という封建的農村の「家と家」の結婚ルールが21世紀の都市部であっという間に席巻し、結婚前に両家がテーブルを囲んで話す最も重要な話題が「新居の不動産名義」についてという悲しい結婚風景が生まれたのだ。

†現代中国社会と家の結婚

このように、中国の超高度成長期の不動産ブームと時を同じくして、過去20年で中国の結婚のカタチは激変し、結婚のハードルは上がる一方だ。その元凶には、「男女人口の不均衡」という現時点では動かしがたい人口構成における負の遺産だけでなく、将来の不安から子どもの結婚に注力する親たちの存在が挙げられるだろう。住宅価格や医療費の高騰に加え、養老保険を始めとする老後の保障などが未整備な中、多大な不確実性を孕《はら》みながら急速に発展する中国社会。一人っ子世代の親たちは将来や老後の不安から、子どもの結婚をかつての老後保障を兼ねた「家族プロジェクト」に回帰させ、「住宅購入」や前述した「法外な結納金」をその絶対条件に掲げるようになったのではないだろうか。

そして、社会経済的には、狭く最低限ではあったが、タダで福利厚生の一環として職場からもらえた中国の住宅は、個人が自力で購入する私有財産へと変化した。それは、昔は誰も考えたこともなかったような広くておしゃれな住宅を意味し、市民にとっては夢のような経済発展物語の第一章だった。

しかし、それと同時に人々の結婚シーンには資本主義的な市場経済の大波が一気に押し寄せた。不動産会社は土地財政に依存する地方政府とともに、結婚と新居購入を結びつけて住宅消費を刺激し、メディアはそれを大々的に宣伝した。こうして、今日の「伝統」や「道徳」に包まれた結婚の「常識」が造り出され、高度に市場化された新しい結婚の形が誕生したのだ。

第 7 章

恋愛は「闇」でする悪いこと?
——中国の恋愛観

結婚は家や国のものだった過去を持つ中国。自由な恋愛と結婚は登場して日が浅い。写真は1980年代の北京庶民の結婚式。二人の胸には赤いリボンフラワー。

1981年9月、photo=共同

†結婚と家の束縛

90年末の住宅改革から不動産ブームを経るなかで、中国の結婚の「常識」がいかに造られたかを見てきたが、次に少し時代を振り返り、そもそも、中国で恋愛がどう扱われてきたかを見てみよう。

自由恋愛の歴史は世界史的に見ても実は長くはなく、日本でも一般化したのは戦後かもしれない。同様に、中国の結婚も長年本人の意思に拠らず、親が家と家の関係の中で差配する極めて封建的なものが支配的だった。初めて全ての若者に結婚の自由や男女平等の原則が保障されたのは、1949年の建国翌年の50年に定められた「婚姻法」においてである。

それまで、将来、嫁にする幼い女子をもらって婿の家で使用しながら養育する「童養《トンヤン》媳《シー》」や一夫多妻、幼児期に相互の親が結婚相手を決める「請負結婚（中国語で「包弁《バオバン》」）」が、中国では子孫存続の手段として当たり前の習慣とされてきた。同法はそれらを初めて正式に禁じたため、施行直後は意思に反して結婚させられた人たちの離婚ブームが全国で起きたほどだ。

また、トップダウンで、突如実施された同法とそれまでの地元で親しまれた習わしの間には大きな溝があり、変革は容易ではなかったようだ。例えば、農村部の幹部には同法を封建的な村の秩序に対する挑戦と捉え抵抗する者もあった。さらに、女性が自由に結婚し始めることを恐れて、同法を村民に「秘密にする」幹部さえいたという。[37] いずれにせよ、長年の封建的習慣を禁じた同法の衝撃は大きく、政府は全国の村々で3年にわたる「婚姻法」キャンペーンを実施し、婚姻法の周知と貫徹に努めた。

†社会主義体制では「恋愛は資本家階級的情緒」

しかし、「婚姻法」で若者の結婚は家の束縛からは解放されたものの、決して個人のものにはならなかった。現在90歳代の1931年生まれの男性は、50年代に奥さんと職場で出会った時のことをこう振り返る。「(僕のような)市レベルの幹部以下の人は恋愛は許されなかった。50年代は基本的にこういう規則があり、とても厳しかった。だから、それを犯して好きだ、嫌いだなど(恋愛)はとてもできなかった。みんな(闇の)『地下工作』をしていたよ」と話す。

さらに、1966年に文化大革命が始まると結婚も含め全ては革命のためと位置づけられた。結婚は「積極的に階級闘争に参加するため」のもので、二人の結婚を「組織」が認め、二人は毛沢東に結婚を宣言して「革命家庭」を設立することになった。

中央政府の機関を退職した80歳代の男性は「文革の時は恋愛は品行上の問題（中国語で「作風問題《ズウオフオン》」）で正しくない（中国語で「不正当《プーヂオンダン》」）とされた。もし党員だったら、恋愛をするなら、こっそり周りに知られないように『闇』でするか、そうでなければ、正式に党に恋愛をする旨を申請し、相手の出身家族などについて届け、恋愛の許可を得なくてはならなかった」と振り返る。

また、「結婚も事前に党への申請が必要だった。（60年代に）自分が結婚した時は田舎の父が危篤で急いで帰省した時に（田舎で紹介された今の妻と）結婚した。そのため、事前の党への申請は間に合わず、職場に戻って結婚したことを事後報告したら上司から怒られた。『（党の審査も受けずに結婚したなら）何があっても自分で責任を取れ』と言われたよ」という。

離婚も当時は党への申請が必要で、そこで承認されないと勝手にはできなかった。二人の感情よりも「階級」と「出身」が問題にされたため、逆に政治的理由から押し付けられた離婚も多発した。

このように、恋愛も結婚も離婚も個人が決めるべき私的な領域ではなく、社会主義中国では「公的」な領域に属することとして扱われてきた。

ちなみに軍や重要な政府部門の党員は今でも、結婚に関して組織に申請が必要だ。「結婚申請書」のサンプルとしてネットにはこんな申請書の雛形が掲載されている。

「私は誰々で、XXと結婚を希望しています。XXは政治上、思想上安定しており、国を愛しており、党員でもあります。私はXXと何月何日に知り合い恋愛関係を構築し、相互に理解、信頼し感情の基礎は強固です。恋愛は長期にわたり思想は成熟しています。相互の協議を経て、家族の支持も得てXXと結婚を希望します。組織の批准をここに願います」

このように、公権力がプライベートな空間に入り込む事態がデフォルトとして最近まで続いた点は、今日の中国の恋愛・結婚観にも大きな影響を与えているだろう。学校が子どもの恋愛に、また、親が子どもの恋愛や結婚に違和感なく深く関わろうとするのは長い時間をかけて形成されたこれらの「常識」が下地になっているようだ。今の恋愛と結婚はこうした中国独特の土壌に根付いている。

†中学高校での恋愛禁止令

このように、恋愛と結婚が公的な空間に引っ張り出され制限された歴史を経た中国では今でも高校生以下の恋愛をタブー視する空気が強い。その証拠に中国には高校以下の学生の恋愛を表す特別の語彙がある。中国ではこれを大人のノーマルな恋愛とは区別して「早《ザオ》恋《リエン》」と呼ぶ。これは、基本的に非生産的でリスクが高い好ましからぬ行為で、場合によっては青少年の不良行為の一種と見なし、大人は忌み嫌う。

例えば、大学教授の陳さん（70年代生まれ、40代女性）もそんな見方をする人の一人だ。陳さん自身は大学院在学中に自由恋愛で今の夫と知り合い、結納金も受け取らずに2000年に「開明的」な結婚をした人だ。しかし、中学生の息子さんの恋愛観については以下のように述べる。

「高校までの恋愛？　そりゃ、肉体的な行為はだめよ。そうねえ、勉強に影響がなければ、それ以外のことはいいけど、大学受験前で、（精神的に）セーブが効かなくなるのが心配だわ。やっぱり一番いいのは恋愛はしないことね」

このように、米国留学経験もありオープンで「開明的」な陳さんでさえ、高校生以下は恋愛はしないのが一番と考えている。無事に天下分け目の大学受験を経て、大学に入学した後は親も黙認するが、高校まではただひたすら黙々と勉強に打ち込むべきというのが、中国のほとんどの親や大人が長年共有している「正しい中国の青年期の過ごし方」だ。そして、社会に出たら今度は180度変わって、さっさと相手を見つけて結婚して孫を生んでおくれと要求するのだから、子どもにしたらたまったものではない。

また、第3章で触れたBさんも高校3年生の時、好きな女の子がいて1年以上アプローチしていたが、そのことがある時担任にばれた。担任は恋心で成績が下がるのを心配してBさんの親を呼び出して彼の「早恋問題」について注意したという。幸い、理解のあったお母さんはその時は彼にも何も言わずにいてくれ、彼の成績も下がらなかったので、その後は事無きを得たという。Bさんがその後、トップ校に合格したのは先述した通りだ。

ここで、先生も親も心配しているのは、ただ一つ。大学受験への影響だ。重要なのは一生を分ける受験勉強だ。その一方で、それと比較して若者の恋はあまりに「危なく」、「無駄」なこと。だから、学生が恋愛をし始めたら先生や親は止めさせる。この対応は中国では当たり前という。

ここで天秤にかけられているのは人生の成功に必須の勉学成就とそれを邪魔しかねない非生産的な恋愛だ。年頃の子どもを持つ親として、子どもが恋に落ちてジェットコースターの如く心が揺れ動き、受験に悪影響が出ないかと心配する気持ちは理解できる。しかし、そこまで合理性で割り切れないのが人間の複雑さであり面白さなのだが、中国はこの辺を「成功のために」バッサリと切り捨てる残酷なところがある。厳しい環境で生き抜くための合理性信仰の強さなのか、元来の感情世界への軽視なのかは不明だが、情緒や情感をことのほか重んじる日本の感覚とは大きく異なる。

実は、興味深いことに恋愛に対する感覚の違いは両国の文学の世界でも認められるようだ。日本の大学院で比較文学の博士号を取得し、中国の大学で教鞭に立つ日中文学の専門家は、両国の恋愛を扱った文学作品の位置付けの違いを以下のように指摘する。

「日本では恋愛を題材とした『万葉集』や『源氏物語』などが公的な空間でも認められ、一貫して楽しまれてきた。一方で、中国ではそれとは対照的に古来より中国の公式の場で認められた『文』の範疇には、恋愛についての作品は含められなかった。一時的に南朝時代（5〜6世紀）は恋愛関係の作品が認められたこともあったが、時代が下るとともに批判を受けるようになった。両国の恋愛作品の文学における位置づけは大きく異なる」という。

どうやら、日中では恋愛の位置づけが歴史を通じて根本から異なるということのようだ。こうした歴史における恋愛の位置づけの違いは日中それぞれの特色を掘り下げる上でも非常に興味深いテーマだ。いずれにせよ、こうした中国独特の恋愛文化が今日の中国の若者の恋愛と結婚観にも影響を与えているのは間違いないだろう。

また、Bさんよりも約10歳若い20代のZ世代にも「早恋」に対する大人の態度について聞いたが、状況はほとんど同じだった。広東《グアンドン》省のあるZ世代は高校の時「早恋」を両親に反対されて親子喧嘩が絶えず、ある日、とうとう家出をして公園で一夜を明かしたこともあったという。一方、また別のZ世代の男女二人は、高校時代には先生と親には秘密で付き合っている人がいたが、直接は干渉されずに「曖昧に」しておいてくれたという。親からすると「当然ながら、勉強第一」だが、「勉強さえできていれば、恋愛していても良い」ということだったと振り返る。さすがに直近の10年になってくると親の寛容度も上がっているのかもしれない。

それにしても、思春期を経て高校生にまで成長して好意をもった異性にアプローチしたことを担任の教師からいちいち注意されるというのは、年頃の本人たちにとっては決まりの悪い学園ルールだ。だんだん薄まっているので、今は北京などの大都市では少なくなっているようだが、これが少し前までの中国では「基本形」だった。

ここで留意すべきは、中国に根付いている恋愛をネガティブに捉える考え方だ。人を好きになるのは非生産的で危険なことと若者たちは幼いうちから大人に教えられて育つ。これはなんとも残念だ。

†夫婦証明書なしではホテルの宿泊も不可能という保守性

90年代に、中国の5つ星高級ホテルではなく、一般市民が利用するローカルホテルに泊まったことのある人なら、夫婦や子ども連れの家族で一つの部屋に一緒にチェックインする際に「(二人の写真入りの)結婚証明書の提示」を求められたことがあるだろう。「この子が我々の子どもです、我々は夫婦です」と両親そっくりの息子を指して言っても「子どもは何の証明にもならない」と言われた知人もいる。中国のローカルホテルでは、結婚証明書なしには男女は同じ部屋には宿泊できないというルールがある。その頃まで中国では、夫婦と証明できない男女が同室に宿泊するとは、断じて許されない「品行不正」なる行為とされていたからだ。

この結婚証明書は、地方政府の民政局で結婚登記をすると数週間後に二人で一緒に撮る結婚証明写真入りで発行される。これは2005年ごろまで中国人の国内旅行の必須アイテムだった。

ある華僑新聞は2000年当時に北京の2軒の2つ星ホテルで起きた出来事として、米国に帰化した中国人夫婦がホテルで夫婦証明書の提示を求められたが、そんなものは外国人が持っているはずもなく、宿泊できなかったと書いている。3つ星以上のある程度グレードの上のホテルへ行けば泊めてくれるはずだ、と言われて追い出されたという。実際、筆者も5つ星ホテルではトラブルになったことはないが、2000年前後に田舎の小さな旅館に泊まる時に、フロントで夫婦であるかどうかをチェックされたことがある。

このように、中国では、十数年前まで「男女が同室を利用する場合は、結婚証明書を提示」というルールが現役だった。これは法律としては成文化されていないが、中国人なら誰もが知る「常識」の規則という。そもそもは、外国人に見られたら「みっともない国の恥」と認識されていた売春を取り締まるのが目的だったという。

80年代に北京市内の数少ない国営高級ホテルで働いていた人の話では、管轄の公安当局は、ホテルから毎日宿泊者の年齢、身分、部屋分配と人数とその「関係」の届け出が必須で、怪しい人物と判定されると、ホテルにやってきて客室に突撃調査が入ることもあったという。ホテルはそのトラブルを防ぐために、チェックインの際に客の「関係」を事前に調べるのが慣例になったという。これが中国の三十数年前の空気だった。中国がいろいろな意味で「国際的」になってから、日はまだ浅い。

筆者の友人の話では、1988年に上海のホテルの出口で彼女の大学の同級生の中国人女性が外国人男性と出てきた際に、売春容疑で警察に捕まり大変な騒ぎになったという。当時、彼らは普通の成人として男女交際をしていただけだったが、取り調べで未婚男女の同室宿泊という「重罪」を逃れるために「婚約者」と主張。知り合いなどのコネも総動員して寛大な対処を得て、警察からは釈放されたものの、「ならば即、結婚を」と求められ、二人は電撃結婚をして出国せざるを得なくなったという。そのくらい、中国社会の男女関係に関するルールは保守的だった。

2022年の今日でも、中国のネットのQ&A欄には「夫婦でホテルにチェックインする際に、結婚証明書の提示は必要ですか?」と心配する声が寄せられている。それに対して「結婚証明書はなくても、二人の身分証明書があれば、大丈夫ですよ」と最新のお役立ち情報が載っている。

ちなみに今では中国でホテルに宿泊する場合は、全ての人の身分証明書（外国人はパスポート）の提示とその場で本人の顔写真の撮影（顔認証）が義務づけられている。ホテルによっては荷物検査もある。ホテルに泊まるだけなのに、まるで入国検査さながらの厳しさだ。全てのホテルのフロントに設置された専用機器から読み込まれる顔認証と個人データは瞬時に政府と共有される。今は、写真付きの結婚証明書などという牧歌的な証明書どころではない。誰がいつ、どんなふうに部屋に入ったかわかるよう死角なくホテル中に設置されたカメラと、泣く子も黙るビッグデータ監視網がホテル内を含めて全国の施設に張りめぐらされている。

第 8 章

細くなった一人っ子世代、「気まずさ」に悩む若者

一人っ子世代の若者たちは国際的に洗練されるとともに、繊細にもなっている。「気まずさ」などの微妙な心情を表す新語が続々と生まれている。2022年北京、photo=Maggie Wu

†繊細な心情を表現する新語

中国の以前の恋愛・結婚観が今日に与えている影響について振り返ったが、次は時計を一気に進めて、新語を通して近年の若者文化について見てみよう。近年の中国社会は浮足立った絶え間ない変化の最中にあるため、かつては認識されなかった新しいことばが毎年次々と生まれている。近年の代表的な新語にはいくつかの傾向があるが、ここでは、そのうちの一つの若者の繊細な心情を表現したことばを紹介しよう。

具体的には、「破防《ポーファン》（心が折れる）」（2021年）、「emo（= emotional、ブルーだ、落ち込んだ）」（21年）、「社恐《シャアコン》（社交恐怖症）」「社死《シャアス》（社交の場面で死ぬほど恥ずかしい思いをする）」（共に21年）、「尬《ガア》（気まずい）」（17年）などだ。総じて、自意識が強く周囲に敏感に反応した心情を表す新語が多い。

ちなみに毎年の年末にその年の「熱詞《ルエアーツー》」（ホットワード）として発表される新語は中国国家言語資源観測研究センターが国内主要動画の書き込み（弾幕《ダンムー》）、ネット論壇、新聞など各種メディアから収集したことばを基に集計し、各領域の専門家の意見などを踏まえて発表したものだ。彼らが集計した2021年の動画弾幕数は11億件、文字数にして100

億字以上、ネット論壇の書き込みは35万件、文字数にして3億字以上だったという。

ここで、若者の動画カルチャーを盛り上げている「弾幕《ダンムー》」について触れておこう。弾幕とは動画の画面上を流れるユーザーのコメントだ。当初は日本のアニメ配信専門プラットフォームだった動画共同配信の「bilibili（ビリビリ）」を始め、中国の動画サイトでは、2015年頃から日本のニコニコ動画同様にこの「弾幕」機能が浸透している。これまでにビリビリでユーザーが書き込んだ弾幕数は累計で100億件以上に上るという。

弾幕を書き込む魅力は、本当は一人で孤独に動画を見ているにもかかわらず、大勢の人と感想をシェアしているような疑似一体感を味わえる点にある。また、限られた文字数に多くの意味を凝縮させられる漢字との相性もよい。文才とセンスのある的を射た絶妙な書き込みもあり、弾幕があると、動画だけの静かな一人での鑑賞とはまた違った雑多な楽しみ方ができる。

こうして、弾幕は動画へのコメントをユーモアと表現力で競う若者のプラットフォームになっている。中国社会科学院コミュニケーション研究所の孫萍（スンピン）副主任は、「弾幕は現代の若者の情感交流を記録、表現している。弾幕の言語の変化には時代の特色が鮮やかに現れており、最も簡単な方法で、最も豊かに溢れ出る情感を表現している」と位置づけている。弾幕は若者の動画文化になくてはならない遊びの空間になっている。

そうした若者の動画文化の弾幕の中で、2021年度の弾幕代表に選ばれたのが「破《ポー》防了《ファンラ》」ということばだ。これは先ほどの「破防＝心が折れる」という動詞に完了形の「了」を付けたもの。ビリビリ、人民文学出版社、中国社会科学院コミュニケーション研究所が行った調査結果で、同研究所の孫萍副主任は「破防了」は「若者の情感の激しい揺れ動きと情感への共鳴力を生き生きと表現している」と指摘する。

若者たちはネット上でたくさんのことに「心の防波堤が決壊し、心が折れた」と表現する。本当に自分がショックを受けて「心が折れる」場合も使うし、わざと誇張して何か面白いことやおかしなことへの感想で「（程度が強烈で）自分の心の限界が破れた」とオーバーに反応を表現したい時も使う。「うっせぇわ」や「ジェンダー平等」が流行語大賞となった日本ともまた違う空気だ。

†「気まずさ」不在の90年代と「気まずさ」に悩む現代の若者

もう一つ、近年盛んに使われるようになったことばが「気まずさ」だ。2017年の新語に選ばれたのが「気まずさ」を表す「尬《ガア》」だ。中国で気まずさが新語であるのには日本の人は驚くかもしれない。ここで、少し時代を振り返って「気まずい」という感覚が広く意識されていなかった時代の中国の状況について紹介しよう。

かつての中国では、大陸らしくさまざまな人がそれぞれのペースで自由に行動しているのが当たり前だった。例えば見た目では、山東《シャンドン》省など北方の人は背が高いし、広東《グアンドン》省や雲南《ユンナン》省など南方の人は背は低めで肌の色も濃い。しゃべっていることばも中国はさまざまだ。漢字の表記は全国統一なので新聞や字幕は共通だが、上海語や広東語は発音が全く違うので、お互いに聞き取れない。湖南《フーナン》省出身の毛沢東、江蘇《ジィアンスー》省出身の江沢民（ジィアン・ゼァミン）や四川《スーチユアン》省出身の鄧小平がしゃべる普通語は外国人には理解不能なほど訛《なま》っていたし、標準語を上手にしゃべれない人はたくさんいた。

これは、外国人泣かせでもあるのだが、逆に中国語を学習する者にとっては有難い環境でもある。なぜかというと、中国の人は互いに訛った不揃いの中国語を使ってコミュニケーションを取ることに慣れているからだ。中国語を習い始めたばかりで中国語独特のイントネーションの四声がめちゃくちゃだった筆者も北京でよく「（普通語だが、四声が標準語と異なる）四川から来たのか？」と間違われた。自分の下手な中国語でも四川の人程度には思われているのかと、逆に勇気づけられたものだった。その後は、少し上手くなって北京市郊外出身程度に受け取られるようになった。

こんな感じで、みんな違って当たり前。そんな前提があったので、一昔前の北京では他人の目を東京ほど気にしないで悠々自適に過ごすことができた。1990年代のその当時、東京の主要女性雑誌記事といえば「浮かない服」「愛されるしぐさ」など、常に周りの眼を意識し、そこに軸足を置いた判断基準で固められていた。日本では、私服で自由なはずの大学入学式の服装が、21世紀の今日になってもことごとく統一されているように、周囲を見張り合う空気が強いのは不思議で残念だ。日本は中国のように政府が市民を見張ることがないのはありがたい一方で、市民同士がお互いを観察して縛り合う空気が強く窮屈だ。

一方で、その当時の北京はみんなが違うから平均値も存在せず、縛る基準自体が不在だった。だから、デタラメのイントネーションの中国語を堂々としゃべり、自由にありのままでいることができた。これは私が90年代に北京に来て感じた最も大きな魅力の一つだった。

「周りの眼」が不在だったという点で例えば、北京で学ぶ大学生たちの身なりもそうだ。90年代の北京は先にも触れた通り、水は貴重な資源で寮生活でも断水は日常だった。中国人の学生寮ではシャワーも有料だった。田舎から捻出してもらった仕送り経費を節約するためにも特に男子は秋冬のシャワーの頻度は1週間に1回が普通だった。彼らがシャワーに行った日は髪の毛の状態が明らかにその前の日と違って、軽やかにフッサフッサしているし、顔も剝《む》きたての茹で卵のようにピカピカだからすぐに「ああ、今日はシャワーに行ったんだな」と判明した。そのくらい男子学生たちは変身した。

「90年代に男子寮の枕を見て仰《の》け反《ぞ》ったよ」と冗談で40代の中国人男性に話したら、「ああ、真っ黒い枕のことでしょう！」と私が言わんとしたことをすぐに相手は言い当てた。彼らの8人部屋に足を踏み入れると独特の臭いがして、ベッドの枕は本当に漆器のように汗と埃と油で黒光りしていたのだから！　それでも、学生は皆そんな感じだった。元より彼らは全国から選ばれて北京の大学に進学してきた前途有望な若者たちで、自信と野心に満ち溢れていた。皆それぞれ、何かやってやろうとギラギラしながら毎日、自分のことで忙しそうだった。また、メディアも未発達で今のような統一された「あるべき姿」の基準も緩かったので、当然ながら、自意識が前提となる「気まずさ」を感じる場面がそもそも存在しなかった。

ところが、近年になって中国の若者も日本の若者と同じように人目を気にするようになった。シャンプーの広告で「肩のふけはみっともない」というものだから、皆清潔になってきて、ふけなど言語道断、そんなことにも気づかないなんて気まずいという空気が急速に広まった。あとで洗濯の項で詳しく述べるが、この中国の若者の「清潔感」の変化は驚くほど大きく、一部では日本以上に神経質になりつつある。ここにも圧縮型で一足飛びに変化する感性の激変ぶりが見て取れる。

また、当時は生の対面式コミュニケーションが当たり前だったので皆恥ずかしがらずに果敢に直接顔と顔をあわせ、大声を上げて交流していた。一日中スマホのSNS画面に向かって無言で入力し、人の生活を綺麗に切り取った写真に「いいね！」を送るコミュニケーションが軸になった今日と違い、当時は「はじめに」に書いた通り個人用電話さえなかったのだ。同級生に会いたかったら実際に部屋までやってくるしかなかった。

私の学生寮の部屋はちょうどビルの入り口側の5階だったので、外から遊びに来た中国人学生たちが「ヂャイトーン（「斎藤」の中国語読み）」と大声を上げて、私を呼び出すことがよくあった。外から私の名前を叫ぶ声がするので、私が窓から顔を出すと「今から上がっていく～いい？」というので「OK、上がっておいでよ」と返事し、急いで部屋を片付けると、ニコニコしながら学生たちが部屋に上がり込んできたものだった。安いジャスミン茶を飲みながら、時には寮の消灯時間になって追い出されるまで、何時間もおしゃべりに興じたのを覚えている。お互い遠慮も気兼ねもなく自然体で楽だった。そこに「気まずい」ということばは出番がなかった。

その頃は、こんな感じで、みんな自分の目標に向かってがむしゃらに邁進していて、「気まずい」という発想自体が社会に存在しなかった。外と5階の窓の間で大声で会話をして他の学生に聴かれるとか、呼んでも私が留守で返事がないとか、もしくは仮に私が来訪を断ったとしても、それを気まずいとは誰も感じなかった。みんな大らかに、マイペースで自分の思うことを伸び伸び行動に移していた。それが包容力のある90年代の北京の空気だった。

†「気まずさ」を笑う若者たち

それから20年以上が経ち、若者は「尴尬《ガンガア》」（決まりが悪い、ばつが悪い）ということばを使うようになった。いまでは、気まずさに悩む若者たちが増えているとあり、ジョークやトークショーで若者に人気のネタの一つにもなっている。また、沈黙を避けようと無理にしゃべる社交的会話の意味で、「気まずい（尬《ガア》）＋おしゃべり（聊《リヤオ》）＝尬聊《ガアリヤオ》」という新語まで登場した。

例えば、人気トークショー番組の『脱口秀大会《トウオコウシウダーフウイ》』第3期（トークショー大会、シーズン

3）』で優勝した王勉（ワン・ミン）氏がギターを片手に気まずさを笑う作品[38]はこんな感じだ。

「僕は生活の中でよく知らない人と二人っきりになってしまうのがとても嫌だ。だって、何を話したらいいかわからないから。僕たちの（トークショー芸能プロダクションの）『笑果文化《シアオグウオウエンフア》』はビルの25階にある。そこに上がっていく時（エレベーターで）同僚と出くわして彼と喋る話は最高でも2階半で終わってしまう。『ああ、君もきたの？』『うん、来たよ』という感じだ。それ以上何を喋っていいのかわからない。（息が詰まってエレベーターのボタンに視線を移すが）エレベーターはまだ3階、まだ4階！

　だから、きっと君たちも僕と同じように、こんな気まずさを避けるために、共通の話題のない同僚と出会ったら、その人を避けて遠回りをすると思う。今日の歌は君とこんな人との関係を歌ったものです」

♪時によっては、こんな彼を避けるために、君は風変わりな行動に出てしまうことがある。

　退社して30分も雨の中で身動きひとつせずにその人は車が来るのを待ち、ようやくその同僚はコンビニの出口前から車に乗りこんで去って行った。（コンビニでその人に鉢合いたくなくて隠れていた）君は、その時になってようやくコンビニから出てきたのさ〜。

（会場から大きな笑い）

……

君と彼との関係は共通の話題がないからいつもお互いに避け合う。

昨日の出社の時、彼はオフィスビルの君の乗ったエレベーターに乗りこんできた。君は急いで電波のないスマホを取り出し（て応対で忙しいフリをし）た〜。

唯一プレッシャーを感じずに一緒にいられたのは前回の乗合いタクシーの時。（中国版Uberの）相乗りサービスで十数キロ先の家に帰宅しようと車に乗り込んだら、彼が先に乗車していたが向こうは居眠りしてしまったので、君はホッとした。あの時の安堵感を嬉しく思い出す。

しか〜し、実は彼も喜んでいた。なぜって、居眠りしていた彼も、（気まずさを隠すための）狸寝入りだったのだから〜。♪

……

などと、ジャンジャカとギターをかき弾きながら、歌い上げる。

イマドキの若者がいささか過敏に意識して、同僚との微妙な空白に苦しむ「気まずい」場面を掘り起こし、オーバーにおどけて歌う王勉は自意識が強くて恥ずかしがり屋の若者の共感を呼び人気だ。人気ネット番組『脱口秀大会第3期（トークショー大会、シーズン3）』のシリーズ3回目で、王勉氏はこのネタを含めたトークで、50人のお笑いトークショー芸人を破って優勝した。90年代とは打って変わって最近の中国の若者は、日本の若者のような繊細な神経の持ち主になってきている様子がこれらからも垣間見られる。

†眠れない若者たちと「不眠経済」

繊細になっている若者たちは近年、睡眠も蝕まれている。新型コロナウイルス禍2年目の2021年に、20年来の付き合いの30代で地方の職業専門大学の教師をしている知人から相談を受けた。「中国のネットショップで日本製の商品を買おうとしているのだが、本物かどうか見極めてほしい」という。見るとそれは日本製と書かれた手のひらサイズの安眠グッズで、値段は1万円以上する。彼曰く「最近、眠れなくて困っている。日本製なら効果があるのではないかと思って買うか迷っているんだ」という。

結局、それはニセのコピー商品と判明し彼は買わなかったのだが、筆者は彼の変容ぶりに驚いた。元々は、中国の中でも極めて貧しい農村の出身で、どんな山でも駆け回り羊一匹丸ごとでもさばける野性味溢れる人で、性格も明るく皆からの信頼も厚く人気者だった。また、勉強熱心で立派に北京の大学で大学院まで卒業した努力家でもある。その彼が不眠に悩んでいるという。やはり、地方政府の下にある大学となると、色々制約もあって大変なのだろうかと想像をめぐらした。とにかく、快活だった彼が不眠と聞いて、残念でまた心配だった。

実は彼のような若者は今、中国で急増している。中国の睡眠の質は近年、悪化の一途だ。睡眠時間に関する統計は各種あるが、『中国睡眠研究リポート（２０２２）』によると、中国人の21年の1日当たり平均睡眠時間は7時間6分だった。12年と比べると、就寝時間が2時間余り、起床時間が37分それぞれ遅くなり、睡眠時間は1時間30分近くも短くなったという[39]。この数年間で睡眠時間が激減し、世界で最低レベルの日本の睡眠時間（7時間22分）をも下回った計算になる。

また、不眠などの睡眠障害をもつ人口は1億５０００万人以上とも言われている。しかも、昔は中高年に多かった不眠が、近年はどんどん若年化している。例えば、『２０１９

中国青年睡商報告』によると、10年ごとの世代別で比較した際、睡眠の質が最も低かったのはほぼ現在の20代に相当する「90後（ジゥリンホゥ）」（90年代生まれ）世代だ。彼らの68%が夜中の1時以降に就寝し、8・9%が週3回以上不眠になると答えている。30代〜50代（調査では「80後」や「70後」）より若い20代の方が眠りの質が劣っているのだからこれは現代中国独特の現象だろう。

また、先の大学教師より一回り若いZ世代で、地方の大学を卒業後、北京のメディア関係で就職をしたばかりの友人も「周りにも焦慮《しょうりょ》やプレッシャーで不眠になる人がいる。北京の仕事の競争は激しいからね」と語る。彼女の周囲には、地方の大学時代から不眠や鬱《うつ》を抱える学生もいたそうだ。表だって公表はされないが、大学構内での飛び降り自殺なども、北京の名門大学が集中するエリアに住む筆者の耳にはあちこちから聞こえてくる。いずれにせよ、自殺にまで至らないにしても、不眠は、後述する終わりのない競争による「軋轢《あつれき》」や「消耗」を感じている中国の若者にとって身近な悩みになりつつあるようだ。

そして、需要のあるところに商いあり。彼らの切実な悩みを商機にした「睡眠経済」も伸びている。知人が買いそうになったニセの日本製の安眠グッズもそうだが、ほかにも枕に吹きかける安眠スプレーや睡眠ホルモンサプリ、腕輪型睡眠モニター、安眠をうたう高級枕や寝具などのアイテムが市場にはぞくぞく登場している。しかし、これらを一通り買った人が口を揃えて言うのは、「色々試したけれどみんなダメだった」というセリフだ。解決策はやはり体を動かし、ストレスを解消するなどの基本にあるのかもしれない。少なくとも、ニセ日本製安眠グッズを買おうとしていた彼にとってはそうだったようだ。彼はその約半年後、友人の勧めで一緒にサッカーを始めたところ、不眠もすっかり治ったという。元気そうになった彼の声を聞いて私もその日は、いつにも増してぐっすり眠ってしまった。

†潔癖症になる若者たち——下着は別洗い、トイレは和式で！

「気まずい」ということばが出る幕のなかった90年代の一例として、当時の男子学生がお風呂は1週間に1回程度だったことについてはすでに触れたとおりだ。それからたった二十数年。今や中国の20代、30代を中心とした若い世代は急速に潔癖症に変身している。

まず、シャワーの頻度はもちろんだが、さらに驚いたのは洗濯に関してはおそらく世界的に清潔好きで潔癖症と思われている日本以上に神経質なレベルだ。赤ちゃんの服や自分の肌着を洗濯機で他のものと一緒に洗うのは「汚い」と感じる人が多いのだ。だから肌着は別洗いするというのが若者の間では浸透している。その証に中国の洗濯機には別洗い専用のミニ洗濯機というジャンルがある。大きさはごみ箱程度で値段は1万円前後、殺菌機能などがついている機種が人気だ。

最近は、富裕層向けハイエンド市場の拡大に伴って、家電大手ハイアールは別洗いができる4キロと9キロの2槽式全自動洗濯機（9999元＝約20万円）を発売した。2槽式と言っても、それぞれが洗浄、脱水、乾燥機能を持ったドラム缶式のものが上下に2階建てになっている洗濯機だ。旧式の洗浄と脱水が別になった縦型の2槽式洗濯機ではない。

宣伝には「家族全員の衣服の混ぜ洗いは色が移り、相互感染しやすい」、一方で「赤ちゃんの服は単独で洗い、柔らかい皮膚を保護。上下2槽で大人と子どもの衣服を別洗い。混ぜ洗いお断りで、ベビーの健康な成長を」、「下着と上着の別洗い、手洗いさよなら、よりお手軽に」とある。さらに2万元代（40万円強）のハイグレード商品になると紫外線殺菌機能があり、「99・99％の除菌率で、健康を守ります。衣服内の細菌を除去し、家族全員を守ります」と書かれている。第3章でのインタビューのEさんの家では、このシリーズの洗濯機を使い、赤ちゃんの衣服だけ別洗いしているという。

スタンダードなハイアールの10キロ型の全自動洗濯機なら1000元以下からあるので、

一般洗濯機10台～20台分に相当するハイエンド商品だ。さらに、もっとお金持ちのために5万元（約100万円）や15万元（約300万円）というトンデモない値段がついた最強レベルの清潔好きのための洗濯機も用意されている。

かくも、中国での価格設定は日本と違う。以前に中国で日本酒を販売している知人がこう教えてくれた。中国には日本食レストランで日本酒を注文する時に、日本酒に詳しくないお客さんが接待の席で「色々あるけど違いがよく分からない。とにかく、一番高い日本酒を持ってきて」と注文することがよくあるのだそうだ。そういう「特別な」お客さんのためだけにゼロを1つか2つ多めに設定した商品を用意しておくのは業界の常識という。300万円の値札が付けられたこの洗濯機もその類かもしれない。中国のハイエンド市場はバブリーだ。

2槽式洗濯機から下着と普通の服の別洗いに話題を戻そう。過酷な受験競争のプラスの副産物だが、中国の若者たちは英語が上手で、好奇心も旺盛だ。欧米のドラマも字幕付きで各種ネット経由でよく見ている。そこで、米国の人気ドラマを見て「ええっ！　アメリカでは下着もジーンズも一緒に洗濯機で洗っているの？　汚い！」と驚き、ネットの議論で「実は、洗濯機で下着も服も一緒に洗っても大丈夫」という意見に対し、「絶対に別洗いすべきだ」と多くが反対し、300万人以上が閲覧している。筆者も多くの若い友人たちに「もちろん、一緒に洗っているよ」と言ったら眉をひそめられた上、「強く」別洗いを勧められた。漆器のように輝く枕で寝ていた彼らが今はこれだから、中国の変化は本当に目まぐるしいのだ。

✝中国の昨今のトイレ事情

もう一つ隔世の感があるのがトイレだ。中国のトイレは一昔前、特に辺鄙《へんぴ》な農村では、アフリカやシベリアなど世界各国の辺境地を旅してきた国際派の強者《つわもの》カメラマンが「これを上回るものは見たことがない！」と唸ったほど凄まじい状況だった。北京市内のデパートなど店舗の内装はある程度きれいでも、薄暗い廊下を経てトイレに行くと、電球が切れていたり、ドアのちょうつがいが片方取れていて斜めにぶら下がっていたり、もしくはドアが全くなかったり、下水が詰まっていたりしていた。きれいに使えるトイレはいくつもなかった。ドアさえない状態だったから、紙など論外だった。それでも、ドアのないトイレや詰まったトイレで用を足して何食わぬ顔で涼しく去っていく猛者を目撃するたびに、自分の小ささを思い知らされたものだった。

中国のトイレといえばこんなイメージだったが、この10年くらいでこの基準もあっという間に変わった。人々の決定的な変化を感じたのはある日の夕方、近所のピカピカの駅ビルモールの込み合うトイレで若者と一緒に並んでいる時だった。

中国でも日本で我々が和式とよぶスタイルのトイレが長いこと基本だったが、近年は洋式がオシャレということで、都市部のレストランやデパートなどから徐々に洋式のところも増えた。ところが、少し前は、地方から出てきて、洋式トイレの使い方を知らない人が少なからずいた。個室の中に掲示してある注意書きの中に、洋式トイレの楕円形の便座カバーの両側に上り空中で跨《また》いでしゃがんでいる人に×印が付けられたイラストを見たことがある。その絵を見て、初めて謎が解けた。洋式の便座に泥のついた靴跡があるのは、和式の発想をそのまま当てはめてやってしまったチャレンジャーの仕業だったようだ。

そういう不慣れな人が以前はたまにいたので、確かに洋式トイレは不衛生な場合があったが、最近の都市内のモールのトイレは頻繁に掃除されているし、そういう人も急速に減ったので清潔だ。靴で乗った跡のある洋式トイレにはもうお目にかからない。だから、私も普通に洋式でも和式でも空いた所から使っていた。ところが、ある日そのトイレに並んでいる若い人たちを注意深く見てみると、彼らは洋式を避けて、和式が空くのをじっと待っている！　他の人と間接的に肌が触れ合う洋式は「汚い」から入りたくないということらしい。ドアもついているし、下水も詰まっていないトイレでも満足できない、というのが近頃の中国の若者の感覚らしい。この10年でこういう若い人に出会う機会が増えた。そういう人のためにモールのトイレ内には、洋式便座用の使い捨てのカバーや使用前に便座を拭くための消毒液のディスペンサーが取り付けてある。

そういえば、60歳になる北京の人民大会堂《レンミンダーフウェタン》のすぐ近くの下町の胡同《フートン》に住む知人が潔癖症の娘を嘆いていたことを思い出した。彼女の家は北京でも数少ない歴史のある胡同の一つで8家族が雑居している伝統住宅の四合院《スーハーユアン》だ。中庭には大きな香椿《シャンチュン》の樹があり、へちまや胡瓜が育ち、愛犬や鶏が自由に歩き回っている。北京の真ん中とは思えない牧歌的なお庭のある平屋住まいは最高に素敵な環境なのだが、旧式の家屋は下水道が未発達で、トイレだけは通りに出ていき、公衆トイレを使う。

このように北京の中でも最も庶民的な環境で育った娘さんなのだが、知人は「娘はやけに潔癖症でバスのつり革を握るのも嫌がるし、洋服もすぐにドライクリーニングに出したがる。今の若者ときたら私たちとは随分違うのよね」と嘆いていたのを思い出した。知人は大抵のことは「大丈夫、大丈夫」とやりのける明るく大らかな北京っ子らしい人だ。約

30歳弱の年の差がある彼女の一人娘がそんなに潔癖症と聞いて、知人のイメージとかけ離れているので驚いたものだった。しかし、モールの洋式トイレも敬遠する人が多い今の北京では、この知人の娘さんのような人はちっとも珍しくないのかもしれない。若者はとってもキレイ好きなのだ！

潔癖症はモノだけでなく、ココロも？「精神潔癖症」

潔癖症が若者の間で増えていることについては洗濯の別洗いや洋式トイレの使用回避などについて触れたが、潔癖症の対象は最近はモノだけではない。中国には近年、「精神潔癖症」という新しいことばも登場している。精神面における潔癖主義とは恋愛において相手の身体上の、つまり、物理的な清潔さと同時に相手が自分を一点の曇りもなく愛してくれることを求める精神的な清さを求める潔癖症の人を指す。また、相手が自分に対していかなる隠し事もせず、少しも疑いを持たずに自分を信じてくれることも求める。そんなあらゆる面での「潔癖症」の人を意味するらしい。

中国版インスタグラム「小紅書《シアオホンシュ》（RED）」に投稿された、精神潔癖症に対するカウンセラーの分析は、同症になる人には一人っ子育ちであることや、近距離の人間関係が苦手で相手が自分を傷つけるのではないかとおびえるなどの共通点があると指摘する。そして、これを治すには長期的に勇気を持って感情に向き合う経験が必要と親切にアドバイスも示している。

人との近距離のコミュニケーションが苦手ゆえに、必要以上に自分の感情が傷つくのを恐れてしまう傾向は中国の若いカップルに限らない悩みだろう。勇気を持って感情に向き合うリアルかつ近距離の関係が不足しがちなのは、近年、日本も含めて世界中で見られる新しい傾向だ。中国の若者は世界的に「繊細」に向かう人間関係の最先端のケースとも言えるのかもしれない。

一方、同記事には次のような感情潔癖症の人たちからのコメントがたくさん寄られている。これが強烈でいかにも目を引く。

「感情潔癖症は正常なこと。なぜ（私が）治す必要があるの？　治すべきは相手に対して誠実でない人の方だ」「もし、男の人が他の女性と色々なことがあったなんて知ったら、どんなに好きな相手でも逃げ出したい。絶対に一緒にいたくない」「恋愛をしたことのある男の人は受け入れられない。前の彼女と色々あったと思うだけで気持ちが悪くなる」

「私はもう35歳だけど、感情潔癖症。でも妥協するつもりはない。私と同じようにこれまで恋愛をしたことのない人を探し続ける」。これらは皆、女性による書き込みだ。感性は中学生のようで、少し心配になってしまう。

このことを驚いて話したところ、30代の独身男性は「いる、いる、確かにこういう奴いる！」という。彼の友人（同じく30代の独身男性）も、女性は他の男性と付き合った経験はない方が「純粋」で好ましいと考えているという。一見すると「古風さ」への回帰のようだが、本質的には感情潔癖症の一種かもしれない。

もう一つの精神潔癖症の表れは相手を拘束することだ。前述した通り、近頃の中国のカップルの間ではいかなる秘密もご法度だ。スマホのパスワード公開はもとより、GPSによる位置情報の共有も一部では「普通」になっているという。さらに、コントロール欲が強い場合は、先述したようなパートナーのスマートフォンのアドレス帳にある異性の連絡先を消してしまうこともあるという。こうなってくるともはや神経症スレスレだ。

猜疑心が強く、自分が願う通りに相手が自分を大切にしてくれないのが怖く、傷つきたくないと思うあまりに、先に相手を束縛してしまう。これでは健全で持続的な二人の関係を築けないのは火を見るより明らかではないか。かえって自分を孤独に追い込んでしまうだろう。

心配性で傷つくのが怖い。これは人との新しい関係を築く際に世界中の誰もがぶち当たる感情のハードルなのかもしれない。中でも、急速に「潔癖さ」を求めるようになった中国の若者たちの感情の裏側にはこんな恐怖が隠れているようだ。

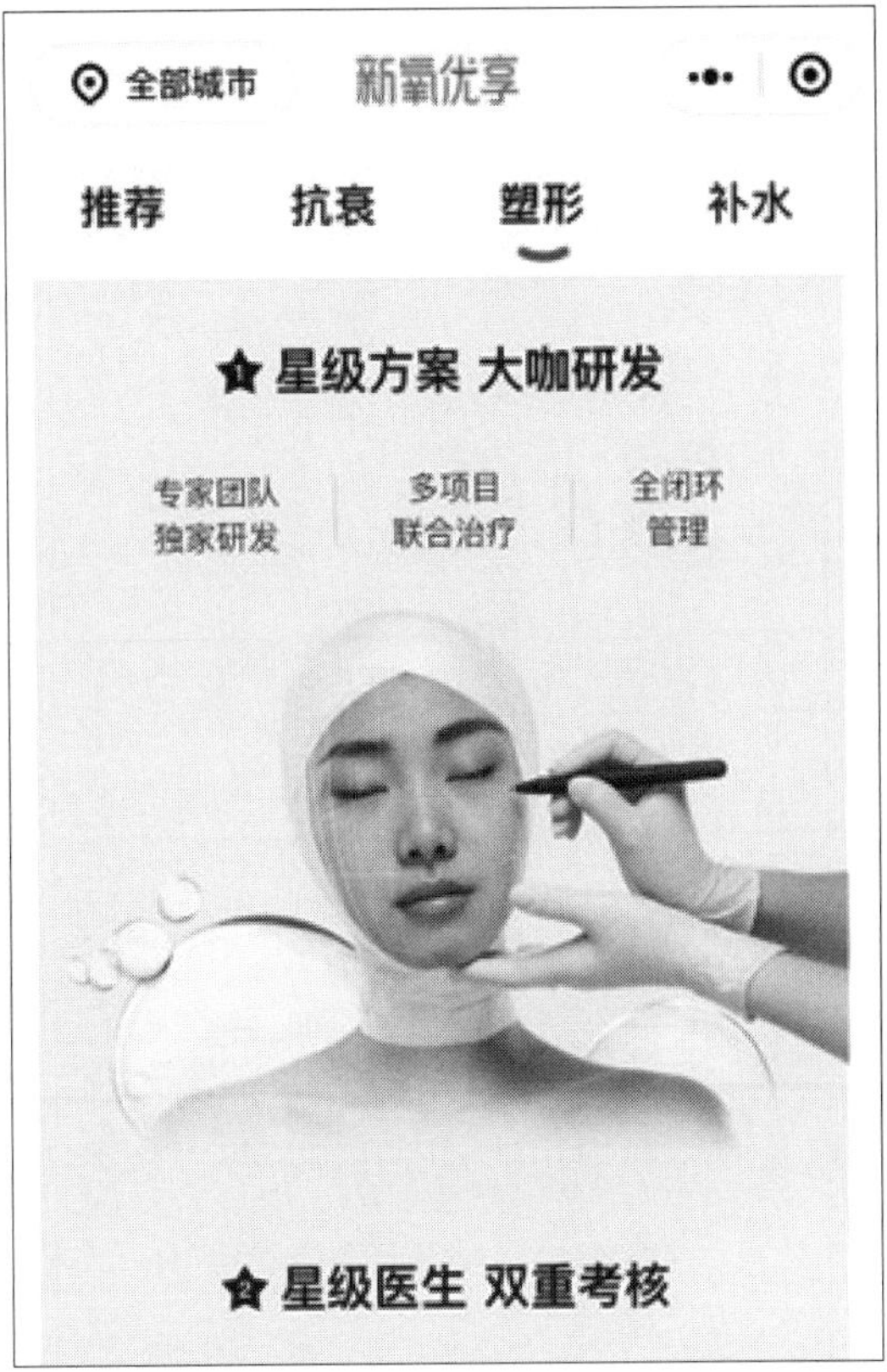

第9章

美顔を整形で手に入れろ
――不安と競争圧力の下で

顔の良さは顔面偏差値(「顔値」)で評価し、値は美容整形で上げるもの?　写真は7000万人の整形プランを作成したとうたう大手美容整形アプリ「SO YONG(新氧)」より

†「焦慮」が需要を生む

細くなっている若者について、気まずさや不眠、そして潔癖症の側面から見てきたが、次は若者の美容ブームに迫ってみよう。

詳細は次章に回すが、近年の中国でよく使われる言葉に、焦って思慮することを意味する「焦慮《ジャオリュ》」がある。焦りを感じる領域はあらゆる方面に向かっているが、その一つに、「容姿に対する焦り」が注目を浴びており、「美貌焦慮《メイマオ》」や「容貌焦慮《ロンマオ》」という新語も登場している。

読者もご存知の通り、美容整形自体は日本や中国を含む全世界で近年急速に浸透しているサービスだ。ただ、中国では若年層の美顔需要が急速な成長を支えており、日本での中高年のアンチエイジング需要や脱毛などの人気とは方向性が明らかに違う。新型コロナウイルス前には筆者の住むマンションのエレベーター内や動画サイトの広告でもターゲット層である若い女子を起用した美容整形サービスの広告をよく見かけた。

また、筆者が行った北京市内の近所の駅前ネイルサロンでは、まぶたを一重から二重にする手術や皮膚に針で色素を注入して眉などを描く「アートメーク」を勧められた。30代前半で海外留学経験のある女性店長は「私も一重を二重にしたのよ、ほら、良いでしょう？　あなたもしたらいいのに」と気軽に整形を勧めてくる。同店の河北省出身の若い女性店員も1万元（20万円）で二重にしたという。中国では、顔の整形もネイルケアの如く敷居が低い。

†突然降ってきた「美容」

しかし、こんな「気軽に整形」という雰囲気ができたのはごく最近のことだ。元々中国では、かつての日本同様に「両親からもらった体を傷つけるのは良くない行い」とする伝統的な考えが強かった。そもそも、整形以前に90年代にはお化粧をしている人さえほとんど見かけなかった。1994年に北京大学大学院生だったオシャレな女の先生の家を訪ねた時、ガラス戸付きの飾り棚の中に欧米ブランドの口紅が一つだけポツンと鎮座していたのを見かけた記憶がある。また、97年に清華《チンファ》大学の男子生徒が筆者の学生寮の部屋にやってきた時も、部屋にあった欧米ブランドの口紅などを見て「こんな高級品を使う贅沢な生活を君に送らせてあげることは僕にはできないなあ」と（勝手に！）物思いに耽ってため息をついていたことがあった。

そのくらい、当時は北京の日常で日本や欧米の化粧品は生活から遠い存在だった。また、90年代末にはオシャレでリッチな人の職場と言われていた外資系企業で働いていた知人に「どうやってあなたはこんなピカピカの肌を保っているの？」と聞いたら、お肌のお手入れは朝晩蒸しタオルで拭くだけと言うので驚いた記憶がある。こんな感じだったので、中国の美容界の歴史はまだ始まったばかりだ。

しかし、スタートが遅かった分、ここでも圧縮型の成長が見られた。美容整形市場はデータを取り始めた2012年以来、前年比20％以上の驚くほどの急成長を続け[40]、19年は1739億元（約3兆5380億円）に上る。別のデータによると、15年の統計ですでに総産業規模は3000億元、雇用者数2000万人になっている。[41]また、二重まぶたを筆頭とする（注射型ではなく切開による）手術型整形外科市場は11年から19年にかけて6・5倍に急増したという。[42]

さらに、前瞻《チエンヂアン》産業研究院（IResearch）は「近年の美容整形市場では2000年以降に生まれた『00後（リンリンホウ）』世代（現在の22歳以下）と地方小都市や農村での消費が伸びている」と指摘する。市場を牽引しているのは若年層と農村なのだ。

利用者層の中で学生を中心とする若年層が急増していることは、18年と19年の調査結果にある「利用者全体に占める年齢ごとの割合」を比較すると分かりやすい。これによると、「18歳以下」が7％から21％に急増。また、19年の調査では「24歳以下」が49％でトップに増えている。職業別でも学生の比率は22％から36％に伸び、これまで最多だったホワイトカラー（19年調査では31％）を上回った。[43]

洋服裁縫修理の60代の夫婦は「美容整形？　ああ、うちのお客さんでもいるよ、Xさんの娘さんは高校卒業の時に整形してすっかりきれいになっちゃって、まるで別人よ。昔はぼうっとした顔でそんなにきれいじゃなかったのに、今ではすっかり大きな目になっちゃって」と明るく少女の変貌ぶりを語る。

なんと、中国では、大学受験が無事終わり大学入学前の夏休みに親に連れられて整形手術に来る新入生が多いため、夏休みは整形業界はかき入れ時という。[44]整形の費用はもちろんのことながら親が出す。こんな風に中国には親と一緒に整形美容に行く学生もいるらしいから驚きだ。

†ソーシャルメディアが生んだ「憧れの顔」

「中国人の整形顔は3、4人のスターの顔に倣ってやるからみんな同じ顔！　14億人が思う美人の基準は超統一されているよ」と30代の米国留学経験のある男性は語る。確かに、中国語で「網紅《ワンホン》」（ネットで有名なネットセレブ）の「臉《リエン》」と言ったら大抵の人が一つの顔をイメージできる。それは、「二重まぶたと落ちそうなくらい大きな瞳」「とがった顎」「高くて筋の通った鼻」「つるつるの白い肌」「長髪のフランス人形」――のような顔だ。

ネットセレブとされる女性は申し合わせたように、とことん揃ってこんな顔の造作をしているので中国語で「網紅臉《ワンホンリエン》」と言われるようになった。彼らは写真修正アプリを使って画面上で加工しているだけの場合もあるが、整形によってこの顔を手に入れたことを公表している人も少なくない。そればかりか、「また整形したいな」と呟きもする。こんなネットセレブの中には13歳からの3年間で100回以上整形手術をしたという少女もいるほどだ。ちなみにこの例にもあるように、一度自分の顔に手を入れ始めると、どれもこれも不完全に見えてしまうのか整形手術を繰り返すケースが多い。

†ニューメディアが加速する画一化された「美」

そして、ニューメディアがこの動きを加速する。世界的に誰でも容易に動画を投稿できるユーチューブなどのメディアが登場し、新しい経済や若者文化が生まれているのは周知の通りだ。ニューメディアを通じ、グルーバル化と消費主義が世界を一つにする過程の中で、世界で多様だった美の基準もこれまでになく画一化が進んでいる。

こうした世界的な潮流の中で、中国の巷の人々が受けている衝撃は特に大きい。おそらく、その前の時期に美容に関する人々の関心、情報、産業の歴史がほとんど白紙で独自のテイストやこだわりもなく文字通り「すっぴん」状態だったことがその原因だろう。そこに雪崩の如く均一化された美の基準が押し寄せてきた。洗練されたグローバルな消費主義に包まれた「完璧な」美のカタチは中国をあっという間に席巻してしまった。

中国でも、動画投稿アプリの中国版TikTok「抖音《ドウイン》(Douyin)」や中国農村版「抖音(Douyin)」といわれる「快手《クアイショウ》(Kwai)」などで動画を投稿しヒットすれば誰もがセレブになる夢を叶えられるようになった。「網紅臉」といえば、既にほぼ一つの顔にイメージが統一されているように、あるべき美人基準はいまや広大な中国の津々浦々に行き渡っている。例えば、先に触れた眉のアートメークは、甘粛《ガンスー》省の農村出身者の40代の女性いわく今や「出稼ぎのために村を出た女性の8割方がしていて、農村でアートメークサロンを経営している親戚もいる」というほどの活況ぶりだ。この美の統一ぶりは、日本の比ではない。

日本の場合は、少なくとも時代ごとに変わる眉の美容の歴史が存在した。化粧品会社は眉ペン、眉マスカラ、眉用はさみなど眉の美容関連商品を販売し、女性誌も時とともに変わる美しい眉について発信してきた。いきなり、「(入れ墨の原理で行う)眉アートメークの眉は綺麗で便利」と呼びかけても、すでに自分のスタイルと方法を確立している成熟した美容消費者は、選択肢の一つとして捉えるだけだ。一気に一つのアートメークが普及することは日本の美容空間ではあり得ない。

一方、中国は90年代後半までほとんどの人が化粧と無縁だった白紙状態のところに「完璧な美人の眉」が到来したため、農村を含め多くの地域で皆が同じアートメークの眉がスッと受け入れられたのだろう。ここで興味深いのは、中国では、白紙状態のところに高度に洗練された商業・消費主義の波が押し寄せ、しかもニューメディアの登場も手伝い、日本では見られない大規模な美の画一化が生まれた点だ。

これは、固定電話を飛び越えて一足飛びにスマホに移行した中国の電話の変遷にも似ている。美容も眉ペンで自分で整える時代を飛ばしていきなり、すっぴんから美容整形のアートメークの時代に一足飛びで変化し、次は、みんな二重まぶただという潮流に乗っている。そして、この急激な変化を津々浦々に推し進めたのは、誰もがネットセレブになれる21世紀の最先端のソーシャルメディアであり、高度に洗練されたグローバルな消費主義である。

前瞻産業研究院がまとめた『2019年中国医療美容業界トレンド研究報告』も「15年以降にソーシャルメディアで定着したネットセレブによって生まれた文化が美容整形消費を押し上げた」と指摘している。

こうして、15年の「顔面偏差値」(中国語で「顔値《イエンチ》」)という造語の流行以降、ネット時代の美容に関するネット新語が次々と生まれた。顔面偏差値は文字通り、顔の美しさを偏差値のスケールで表すという意味の造語だ。「学力偏差値」を上げるのは小学生の頃からの熾烈で長い受験戦争に勝利しなくてはならず大変だが、顔面偏差値ならお金を出して一回手術すれば手っ取り早く手に入れられるということだろう。さらには人生の「成功要因」として、主に容姿を指す「美的指数(Beauty Quotient)」という造語(中国語で「美商《メイシアン》」)まで登場した。知的指数の「IQ(Intelligence Quotient)」をまねたこの造語は「BQ」と略されている。

†美容は成功への道具?

これらの美容に関する中国の流行語は若者の間で美容整形が流行《はや》るこの国の今の「画一

化された」「競争社会」の空気をよく現している。まず、画一化された基準だが、繰り返しになるが、日本や欧米のような美容の経験がある程度成熟した市場では、化粧のニーズも化粧に対する態度も個人によってさまざまで、幅がある。中高年ならアンチエイジングを求め、若年層には化粧をあまりしないナチュラルな素顔派やミニマム派、逆に個性派など一定数いて、多様性がある。総じて、個々が自分の美容のスタイルをある程度確立している。

それに対し、中国では突如現れた「美人基準」に対し、若者は向き合い方をまだ確立しておらず無防備だ。そんな中、中国の美容整形業界はこの競争社会の不安を煽《あお》り「美しくしないと損だ」という巧妙な広告で消費を刺激・開拓し、大いに成功している。業界は「容姿は成功するための資質で、整形はそのための投資」とうたう。今、成功しなくてはいけない、と焦る若者はそれに共鳴し整形手術に走る。美容界はこの美的指数という造語を、恥ずかし気もなくこんな風に定義している。「激しい競争環境の中で自分を売り込む資質としての容姿」「個人が職場における出世競争で自分の価値を高めるもの」という。

この特異な空気の代表例として、スマホ上で美容整形サービスを仲介する美容整形アプリの「新氧《シンヤン》（SO YOUNG）」の宣伝を紹介しよう。同社は2021年第2四半期末までの月間閲覧回数は最高で10億回超の大手。2019年に放映された同社の広告はインフルエンサーとして中国では広く知られる中年男性の馮唐（フォン・タン）と蔡康永（ツァイ・カンヨン）が「美は成功のための加点事項。僕が時間を使うのは3種類の人だけ。一『美しい人』、二『面白い人』、三『美しくて面白い人』」と語っている。この一、二、三と露骨に語る広告に筆者は驚きの余りに仰《の》け反《ぞ》ってしまった。また、欧米であったら到底受け入れられないであろう「女性は美しくあって、初めて完成されるもの。整形、整形、整形、整形！」と激しく女性を物質化するコピーも登場する。ここまでくると、もう卒倒モノだ。

中国メディアはこんな同社の戦略を「容貌焦慮」（容貌に関して焦って思慮すること）と表現する。つまり、進学塾が入試分析と称して難度を強調し、「年々試験の難易度は上がっています」と煽ることで生徒を勧誘するのと同じように、同社は、出世競争は熾烈だ、成功を願うなら美しくなければならない、顔面偏差値を上げることだと洗脳し顧客を獲得していると分析している。

もちろん、同広告を洗脳広告として問題視する声も出ている。と同時に、これはわざと炎上させて注目度を得るための巧妙な仕掛けだったと指摘する声もある。いずれにせよ、全体的に見ると「成功したいなら整形で美しくなろう」というメッセージに対して「なるほど」と自分のサバイバル戦略として受け入れる空気のほうが、その価値観を疑問視・拒否する空気よりも強い。少なくとも、今の中国にはこうした広告が堂々と流される土壌がある。

世界に目を向けてみれば、「美貌を賢く利用せよ」と説く人はどこにも存在するだろう。しかし、「Lookism（ルッキズム＝外見至上主義）」という新語によって、そうした動きを批判する声も増えている。少なくとも、日本には、外見至上主義を押し戻す成熟度や多様な価値観がまだあるように思う。だとすると、中国は何が違うのだろうか？

†強すぎる競争圧力

背景として考えられるのはまずは、強すぎる競争圧力だ。多くの中国の人は自分の道は自分で切り開いて成功させるという志を持っている。これは近年の中国の驚異的な発展を支えた活力でもある。

また、中国には「王侯将相、いずくんぞ種《しゅ》あらんや」というように、王侯や将軍・宰相となるのは、家柄や血統によらず、自分自身の才能や努力による、という実力主義の哲学が根付いている。誰もがチャンスをつかんで実力勝負で全力でトップを狙う。徹底的に実力を問うメンタリティーがある。人のせいにして「どうせ私なんて」「誰も私の気持ちを分かってくれない」などと嘆き調で甘えることなく、自分のことは自分の実力次第で自分の責任でやり抜くと覚悟を決めている。これは中国の人が持つ成熟した大人の態度で、私が最も尊敬する中国らしさでもある。

その一方で、余りに短い時間に凝縮された社会の激変が「今すぐに成功しないといけない」という、不健康な焦りを生んでいるのも事実だ。「このチャンスに乗り遅れたら（永遠に）機会を逃す」と焦る感覚が昨今の中国では広く共有されている。また、気質的にも長期計画や安定、日頃の努力を好しとする日本と違い、中国は危険を冒してでも一攫千金《いっかくせんきん》のギャンブルを貴ぶ傾向が強い。

実際、近年の余りに急速な発展とそこで生じている不均衡な富の分配を目にすれば、焦りはさらに拡大されるのも無理はないかもしれない。たった数年で隣の家の人は不動産価格の急変のチャンスを上手くつかみ、高級車や別荘を買い、子どもを海外に留学させたとなると、誰であっても心穏やかにはいられない。ギャンブルは今しかない、今成功しないと二度とこのチャンスは来ないという焦慮に常に付きまとわれたとしても無理はないだろう。

†脆弱なセーフティーネットが不安を増幅する

また、社会福祉の脆弱さがこの不安を拡大しやすい。失敗したら？　と想像する時に格差の大きさが一つのリアルな不安を呼ぶのだろう。中国の社会保障の脆弱さは日本とは比較にならない。例えば、国が運営する正規の医療保険に加入していても、北京の大手公立病院に入院する際はまず、現金かクレジットカードで2万元（40万円）の保証金の入金が必須だ。このお金を病院のレジに持って行かない限り、どんなに目の前で患者がもがいて苦しんでいようとも、医師の指示書があっても入院は不可能だ。自分の面倒は自分の実力でみなくてはならないという厳しい常識が中国にはある。それは、中国の人たちの不断の努力などプラスのエネルギーにもなっている一方で、全ての人をやむを得ず「今すぐに成功すること」に駆り立て、焦慮させる背景にもなっている。

また、世界的に見ても未曾有の速度で社会と経済が発展している中国では、タイミングが物をいう。「今」チャンスをつかむかどうかで「将来」に雲泥の差が出る、という真理を中国の人は骨の髄まで浸みて理解している。ここでは今日可能なことだからと言って、明日も可能とは限らないことを激動の歴史の中で学んできたからかもしれない。

一方、美容ビジネスはそうした焦る心理を巧みに利用し、人々の購買意欲を刺激している。売り上げの半分ともいわれる巨額の広告費用をつぎ込み、最新の広告戦略を駆使して「美で競争力を付けろ」と訴えられる美容入門者の若者たちはそれを真に受けてしまいがちなのだろう。その結果、中国の若者たちは、強い成功願望と激しく変動する格差社会が内包する独特の焦燥感に突き動かされ、生き抜く手段として、より美容に走りやすいのかもしれない。そうした焦りは将来、子どもを就職や結婚での「競争」に送り出す親たちにも共通する。「外面」を磨こうとする若者の美顔ブームからは、外からは見えにくい中国社会で生きる若者の「内面」が見えてくる。

第 10 章

画一化された競争人生に ノーと言い始めた若者たち

激変の数十年を経て中国は踊り場に来ている。写真は北京市中心部で「ゼロコロナ」政策に反対し、当局への抗議を意味する白い紙を掲げる人たち。2022年11月28日、photo=共同

†圧縮された経済成長は何をもたらしたか

本書では中国の恋愛と結婚シーンから見える現代中国の若者たちの様々な側面を見てきた。そこからは急速に消費・商業主義が浸透し、豊かになった社会の中で熾烈な競争をこなしつつ、親とは全く違う生活スタイルを持って生きる新しい中国の若者たちの姿が見えてきた。

変化がゆっくりで、今日も二十数年前と同じ街の佇まいや有名人、商品、政策などが当たり前にある日本社会とは対照的に、中国はこの間日本人の想像を絶するスピードで変化した。街も、有名人も、商品も、政策もすべてが激しく変化し、ここまでの章で紹介してきた通り、90年代の中国と今では人々も社会もまるで別の国の如く変貌した。以前の日本人が持つ中国の人のイメージではつかみきれない人たちが暮らす新天地に中国は一変している。

この間、中国の時間は圧縮され急速な変化を生んだ。また、その変化があまりに速かったため、親の世代の経験と子どもの現実がほとんど異次元のようにかけ離れ、場合によってはコミュニケーションが不可能なほどのギャップも生じている。そのギャップが最も鮮明に表れているのが、親子間で全く異なる結婚・恋愛観かもしれない。

さらに、二十数年の高度経済発展を経て今日の中国は、社会的にも踊り場に来ている。そんな中国社会が突入した新しい段階は、「焦慮《ジャオリュ》」や「内巻《ネイチュエン》」、「躺平《タンピン》（寝そべり族）」、「潤《ルン》」という近年の流行語に集約されている。以下これらの流行語をヒントに新しい段階に入った中国を見てみよう。

†雰囲気の変化も猛急

本書に書いた通り、90年代の北京の街中から上がっていた開発工事の埃《ほこり》と「明日はもっと良くなる」という高揚感は2008年北京オリンピックの数年後まで持続し、上昇気流はあちこちに満ちていた。しかし、この空気は今日の北京にはもうない。その頃を知る多くの日中の人が「あの頃が一番良かった」「まさか、今日のようになるとは思わなかった」と口々に言うほど、空気感の違いは顕著だ。

国全体の経済は急速に成長したが、直近の5、6年は文化や経済、社会の各局面でさまざまな引き締めが本格化した。2020年以降は世界的コロナ禍の影響も重なり、経済成長の鈍化は顕著だ。北京市北西にある中国のシリコンバレーと言われるIT集積エリアの中関村《ヂォングアンツン》ではコロナ前までは中国版Uberの滴滴《ディディ》（DiDi Mobility）の車が列を作って若い従業員の出退勤や移動を待ち構えていたのが、今では閑散としている。近年のIT業界の人斬りは激しく、アリババやテンセントなど大手IT企業の人員削減は全体の1割から3割にものぼると報道されている。IT企業の広報関連の仕事で月収60万円以上稼いでいた30代で子持ちの友人も22年前半に解雇された。

また、GDP総量では米国に次いで2位の中国だが、1人当たりでは1万2359ドルで世界ランキングでは63位であり、パナマやルーマニアより下の順位だ（日本は中国の約3倍相当の3万9339・8ドルで世界28位）。

さらに、経済格差が激しいことは読者も周知の通りだ。14億人が一斉に頂点を目指す過酷な競争に「我こそは」と参戦するものの、トップに登れるのはほんの一握り。「現状に留まるためだけにも羽の動きを止められないハチドリ状態」と今の若者を形容するのは、先述の項飙オックスフォード大学教授（社会人類学）だ。[45]

†社会を覆う「焦慮」

既に触れてきたが、近年、中国メディアでも頻繁に出てくる現代中国人の心を形容することばに「焦慮《ジャオリュ》」がある。競争に乗り遅れたらどうしようという焦りや、思慮を意味する。インタビューに協力してくれた30代独身の男性は「周りに焦慮していない人なんていないよ」という。住居を購入していない人は住居購入を、子どもがいる人は子どもの今後の教育に胸を焦がしているという。人々が雇用、住宅、子どもの教育など生活の全てにおいて「しっかりやって、自分も子どもも淘汰されずに生き残らねば」と焦慮している姿は本書を通して見てきた通りだ。そして、こうして将来を焦慮する気持ちが若者の恋愛や結婚にも重い影を落としている。

　また、意外にも焦慮しているのは一般庶民だけではない点だ。経済的、社会的に成功している人たちも将来に対するビジョンは明るくない。実際、近年に起きたアリババ創設者ジャック・マー批判[46]や、塾禁止令、長引くゼロコロナ対策の中で実施される強制集団移送による隔離や店の強制閉鎖などが再びいつ自分の頭上に落ちてくるか分からないからだ。「あり得ない」と思っていたことが次々に起こる不確実性に溢れる今日、既に成功を手に入れていても失うものが大きい人々はかえって一般庶民以上にこの国の将来を恐れ、逃げ道確保に忙しい。

　英語の「走って逃げる」を意味するRUNと同じ中国語ピンインの「潤《ルン》」は、この国を逃げ出し、海外に移住する意味の隠語として22年の春ごろから使われ始めた。海外移住がこれまで以上に一つの流行語となっていることは、中国政府が22年春に出した「不要不急の海外旅行のための個人旅券の再発行手続きの暫定的停止」や（移民など外国での法的手続きに欠かせない中国側の）公文書発行業務の暫定的停止措置などを見れば明らかだ。この言葉がにわかに囁《ささや》かれるようになった22年の夏には筆者の周りでも「送朋友潤《ソンポンヨウルン》（Run する友人を送る）」の会、すなわち、海外に移住する人の送別会が開かれている。泣く子も黙る上海のゼロコロナの凄まじい経験を経てこのような流行語が生まれ、「要潤了《ヤオルンラ》（逃げないといけない）」と囁き合う一部の人々たちによって使われている。

†終わらない競争に、隠せない疲労感

また、2020年の流行語として注目を浴びた「内巻《ネイチユエン》」という言葉がある。これは、競争圧力下において前のめりで内側にぐるぐるに巻き込まれるように努力する行為を意味する。ただ、この努力は前向きの健全な努力というより、エンドレスで続く競争の中で周りに遅れをとって淘汰されたら大変だと焦りながらの日夜の努力だ。さらに、その努力にもかかわらず、ゴールも見えず、自分自身の進歩も仕事の意義も見出せずに虚無感や疲労

感、時に絶望感を感じ、疲れながらも依然、努力し続けることを意味している点が新しい。

一方で、中国ではこれまでもずっと数十年間、人々はがむしゃらにハングリー精神で競争を勝ち抜きながら、猛烈な努力をしてきた。未曾有のスピードの中国の経済発展はまさにそんな有能で努力家な個々人のエネルギーによって実現された奇跡だったとも言えるかもしれない。筆者も、たくさんの有能で猛烈に努力家の中国の人たちに出会ってきた。ただ、ここにきて、過酷な競争に果敢に飛び込んで努力しても、先が見えず疲労感ばかりが増えつつある。それをオブラートに包んで表現したのがこの「内巻」なのかも知れない。

米国の著名誌の『The NEW YORKER』は内巻の特色をIT時代の過労や苛酷な競争と虚無感にあると指摘している。[47] 元々希薄な労働者の権利保護や競争による下克上をバネにする文化の中国で、IT自体が内包する完全監視下の非人間的な労働環境が重なり、無防備な若い労働者を息苦しく圧迫しているのかもしれない。

さらに、若者の窒息感を強めているのは、価値の多様性の欠乏のように見える。学歴競争の場合も、幼稚園の頃からネイティブの英語、算数や漢字を学び、小学校で中学レベルの勉強をし、中学で高校レベルを、高校で大学レベルの勉強をする。他の人に「勝つ」ために先取り学習と得点力を伸ばすための膨大なテスト演習を繰り返し、奇跡的に難関名門大学に入ったとしても、その後も競争はさらに続く。次は高いＧＰＡ（成績平均点）とトップレベルのTOEFLやGMATスコアを獲得し、「特色ある経験」を積み、米国のアイビーリーグ大学院や英国の名門校で学ぶ。中国に戻ったら、一流企業や組織に就職し、１億円前後もする新居を買い、さらに、自分に見合うと親が太鼓判を押す相手と結婚し、子どもが生まれれば一流の次世代となるよう育てなくてはならない。これでは、永遠に「競争」は終わらず、疲弊してしまうのも当然だろう。

もちろん、中国に限らず、名門大学進学や良い就職は世界中の誰もが目指すものだ。ただ、中国の場合はそれ以外の成功パターンが社会的にほとんど共有されていないのが違いだろう。14億人がこの成功を目指して突進し、その勝者以外を乱暴に切り捨てる。まるでゼロサムゲームで、ごく一握りの成功者と多数の非成功者を生むとなると、前方の景色は殺伐と映る。

その「切り捨て感」を切実に表しているのが、ネット流行語の「９８５廃物《ジウバーウーフェイウー》（９８５のくず）」という言葉だ。９８５とは、米国で言うならハーバード大学など一連の名門大学グループを指すアイビーリーグに相当する北京、清華《チンファ》、復旦《フーダン》、南京大学をはじめとする中国のトップ39校の名門大学グループを指す。江沢民・元国家主席がこのグループを創設した98年5月（青年の日）の3つの数字を取っている。「985のくず」とはまさに、人々が羨《うらや》む名門大学に見事に進学したものの、その後も続く過酷な一本道の競争でもはやトップでない自分は「985のくず」と同然、と自嘲した若者の言葉だ。何万人に一人しか入れない狭き門の名門大学に合格するだけの実力があるのに、「自分には熱意も、趣味も、社交性もない。過去12年間やってきたのは意義のない問題による選抜だけ」と嘆く。画一的な評価基準を満たそうと疾走してきたが、疲弊してしまったのだろう。日本ではかつては「早稲田（大学）は中退してこそ一流」という言い方もあった。中退して独自の道を切り開くことは優秀な成績で大学を卒業するのに劣らない勇気ある実績と日本では評価されるからだろう。中国に決定的に欠けているのはこうした多様な社会空間だろう。優等生社会は窮屈だ。

✝成功圧力と画一的成功モデルの弊害

学業成就だけではない。本書で見てきたように、若者の恋愛も結婚もこの画一化された基準で偏差値化されつつある。全ての分野において、90年代なら様々な可能性があり、道は一本化されていなかった。それが、今では、中国特有の現実的でシャープな頭脳で合理的に整理され尽くされている。成功への道は一本だけと多くの人が信じている。

結婚相手も、一連の成功人生メニューの一部としてまるで商品の如く合理的な評価基準に照らし合わせて吟味する。この相手との「合弁」結成は自分と自分の親の将来にとって損か得か、コスパは良いかと判断するのだからたまったものではない。自分の「顔面偏差値」を高めるために美容整形も利用し、一点でも高い偏差値の相手と合弁を組むのが賢い人生と美容業界は称え、一部の焦慮する若者は美容整形に走る。

さらに、不動産の異常な高騰は、若い新婚夫婦が二人で力を合わせていつか家を買うとする健全なビジョンを突き崩した。その代わりに不動産業界の後押しで飛び出してきたのが、伝統回帰による「責任感のある男性なら住宅を準備するもの」という新しい「結婚道徳」だ。そこに、都市部の強気の新婦の母が飛びつき、あっという間に中国全土の「常識」が作られてしまった。

また、戸籍による制限が厳しくなればなるほど、既に大都市の戸籍を持っている人と結婚しようとする動機が生まれる。2000年代にいったん「都市と農村の融合」や「都市による農村への報い・恩返し」というキャッチフレーズのもと、北京市も戸籍制限を緩和して外省人を大々的に受け入れた。しかし、2010年代半ば以降、その政策は「大都市人口の削減」へと差し替えられ、180度振り子が振れた。全国の大都市はまるで国レベルの移民審査と見まごう戸籍付与基準を設けて都市部に流入しようとする外省人を選抜し制限している。

ほかにも他国以上に激しく、そしてますます広がる経済格差が中国にはある。理不尽な条件に包囲され、その壁を越えるのが困難になるほど、結婚を通してその壁を越えようとする動機も強くなるのは自然の摂理なのかもしれない。これらの厳しい外部環境は中国の結婚の「中身」を変化させている要因だろう。

もちろん、これらの条件をシビアに求めているのは主に苦労の連続の人生を歩んできた文革世代の親たちだ。彼らは、「自分より良い将来を」とたった1人の子どもの人生に自分の余生を託し関わり続ける。インタビューでもさまざまな考えの人がいたように、若者たちは必ずしも親が求めるような各種条件を結婚相手に求めてはいない。相手の世界観、生活や仕事に対する態度や相性など人間的な部分を大切にする若者たちもたくさんいる。そんな健康的な若者たちこそ、豊かになり世界と平衡に繋がった中国を代表する希望の星かもしれない。

一方で、一部の若者たちは、一代上の世代よりも親による結婚相手探しや結婚「偏差値」への依存を強めている。それは、一人っ子として6人の大人に大事にされ、「他は良いから、勉強だけして、良い生活を手に入れなさい」と言われ続けながら繊細に育ったからだろうか。先の「985のくず」という表現にあったように、学校の成績に代表される画一化された成功モデルに巻き取られ、内巻になりやすい。自分軸が不安定なことも影響しているだろう。

また、大学前まで恋愛がタブー視される環境で育ち、実生活での人間関係構築の経験が少ない一方で、毎日スマホには恋愛や結婚で「失敗しない」「傷つかない」「損しない」ための情報が溢れているので、想像や恐怖心ばかりが膨らみ、恋愛からも結婚からも遠ざかりやすい。近年、よく聞く「恋愛は面倒臭い」というセリフも、本音は傷つくのが怖くて億劫ということに過ぎないのではないだろうか。

「人からの評価が気になる」苦悩はもちろん、中国の若者に限らない。古今東西、承認欲は人間の基本的な性で誰でもあるだろう。ただ、今日の中国の場合、「今すぐに成功しないと置いていかれる」という圧縮型発展期独特の強い成功圧力と、元からある厳しい下克上の競争社会の圧力が二重に一人っ子たちの柔い肩に重くのし掛かかっている。

そして、これまで述べてきたように、成功の形が画一化され過ぎているのが、何よりも若者の個性的で開かれた将来を想像しにくくしているように思う。さらにIT時代の情報過多の環境は、元から経験値が低い彼らを必要以上に怖がらせて、「潔癖症」へと追いやり、リアルな生身の恋愛からますます遠ざけているのではないだろうか。

若者たちがこうした環境を「生きにくい」と感じたとしても不思議はないだろう。生きにくさは将来への漠然とした不安として投影され、間接的に少子化の土壌にもなっているように思う。

†「(まっすぐ)寝そべる」と言い出した若者たちと踊り場にきた中国

先述した「内巻」が流行した約半年後にその対句的な存在として2021年前半に生まれたのが「躺平《タンピン》(まっすぐ寝そべる)」、転じて日本では「寝そべり族」と翻訳されることばだ。「寝そべり族」は「内巻」に対する受け身の逃げだ、と前掲の項飙教授は指摘する。がむしゃらに内向きに巻かれるようにはもう頑張らず、過度な競争を避けて必要最低限の生活を楽に送ることを意味する。外部の高圧的な環境に巻き取られることなく、自分の意志でまっすぐに楽に横になろうというのだ。人生、全てを限られた資源の争奪戦と捉えると、そこには勝者と敗者しかない。そんなビジョンで戦ってきて疲弊してしまった人々は、寝そべることでそこから逃げ出そうとしているのかもしれない。

中国社会では、競争は人々をあらゆるシーンで管理している。過去30年間「頑張れば、もっと得られる」と信じ主体的に走り、得るものがあった時は良いが、今は競争でやむなく「走らされている」と人々が感じ始めている。「寝そべり族」は、そんな新しい段階に中国が入ったことを象徴する言葉かもしれない。

「寝そべり族」に対して、国営新聞大手の光明《グアンミン》日報は「社会経済の発展にマイナス」と批判した。また、清華大学教育研究院の李鋒亮（リー・フォンリャン）副教授は競争によって上昇機会がある社会に〝内巻〟は付きもので、「教育に選抜機能があるのなら、行き過ぎた教育になるのも必然（即ち必要悪）」と主張し、「寝そべりは極めて無責任な態度で、（そんな行為は）親にも、（税金として投入された大学教育費用を鑑みると）真剣に働いている納税者にも、申し訳がたたない」と批判した。しかし、問題は人々が近年は「上昇機会」を感じにくくなっていることかもしれない。この副教授の批判は逆に若者たちから大きな批判を受けた。大人は上から目線で、若者が「寝そべり」を必要と感じる現実の息苦しさを無視しようとするが、若者が言い得て妙なりと使う流行語には彼らの真実が反映されている。

おわりに　合理的社会の未来、中国

中国の過去二十数年の変化は世界が未だに経験したことのない圧縮型の超高速発展だった。当然のことながら、この間中国の若者たちも大きく変化した。かつての日本人が持つステレオタイプの中国人像で彼らをつかむことは到底、不可能だ。例えば、中国の結婚平均年齢はたった10年で、戦後じわじわと変わった日本並みに高くなり、離婚率は日本の倍に、少子化も日本以上に深刻化している。恋愛や結婚に対する考え方やスタイルなど全てが変化しており、その変化のスピードは尋常でない。

中国が未曾有の速度で経済発展を実現できたのは、結果主義や競争主義を基底とした世界共通の合理主義が、中国の骨太で篤い情緒や「明日への情熱」と結びついて爆発したからかもしれない。この間、人々はとにかく「急いで」がむしゃらに合理的に成功を目指して疾走してきた。それが過去二十数年の中国の社会経済シーンだった。

しかし、急激な発展を経て今すぐに手に入る「成功」を貪る中国社会が恋愛や結婚、育児にも合理性を優先し始めたらどうなったか？　最小のインプットで最大の結果を得ようとしたら？　もしくは、投入に見合うだけの「等価交換」を実現すべく相応な相手を探し始めたら？　そう行動し始めた人たちにとって、本来、情緒的要素を含む恋愛や結婚という人生のイベントは大きく変質してしまった。

特に大きな変貌を遂げたのは結婚だ。近年の中国では収入、戸籍、住宅、職業、学歴、老後保障、メンツなどあまりに多くのものを詰め込んだ結果、一部で結婚は合弁会社設立のファミリープロジェクトに変質しつつある。

少子化についても然りだ。コストのかかる子どもを産むなら、合理的に「上手く」「勝ち組」に育てようとするあまり、子育ての心理的、経済的負担は爆発的に増加し、子育てを辛く苦しい生活負担へと変質させてしまった。

しかし、恋愛や結婚、子どもを育てるという情緒的な人間の営みをきれいさっぱり合理性に還元することはできるのだろうか？　そもそも、幸せとは自己肯定や優しい気持ちが通い合い、心が満たされる情緒面での充実感を意味しているのではなかったか？　また、恋愛は理屈では説明できないが、不思議にすてきな行為のはずだ。これらは、合理的な数値には現れないが、人間が生きていくための原動力であり、また我々の人生を豊かにしてくれるものではないだろうか。

中国の若者を追う中で見えてきたのは、合理性至上主義に則って「失敗しない」「勝ち組の」結果を追い求めた結果、人間本来の感性や感情が周辺化されている現状だ。

中国の若者の悩みはこの国の圧縮された急速な発展、熾烈な競争、文革の傷、情感や恋愛のタブー視、戸籍による縛り、高騰する住宅、脆弱な社会保障、教育の選抜システム化、人口政策、格差社会など独特の文化や制度、社会事情に端を発しているのは、本書を通して見てきた通りだ。若者たちの結婚と恋愛という切り口から、現代中国社会を織る軸糸への理解を深めてもらえたら幸いだ。

また、本書は政治面には立ち入っていないが、非民主的な体制による弊害が大きいのは言うまでもない。多様性を欠く画一化された価値観とそれに基づく過酷な競争は焦慮や閉塞感を生み、この国の健全な発展を阻害しているように思う。感覚を麻痺させ、忖度《そんたく》し平気で嘘を語る「優等生」しか許されない窮屈な社会に創造的な未来はない。

ただ、世界を見渡せば少子化を始め、若者の恋愛・結婚離れは日本でも欧米でも起きている点は忘れてはならない。中国の場合は、独自の土壌の上に発展があまりに圧縮されたために、近代の合理主義による矛盾が極端な形で露呈している。しかし、合理主義自体は世界共通の価値観でもある。中国を特殊な国として他者化する見方はわかりやすく、手軽かもしれないが、決して有益ではないだろう。

このことは逆にいえば、我々と中国が望むと望まざるとにかかわらず、中国の若者も中国自体もすでに世界と深くつながり合っていることを意味している。いくら「長城」を築こうとも、中国を世界から切り離すことはもはや不可能だ。

2022年末に起きた突然のゼロコロナ体制崩壊劇はそのことを如実に語っているように思う。今回の振り子はこんな風に振れた。トップは市民の期待に反し、10月下旬の第20回中国共産党大会終了後もゼロコロナ堅持を宣言したので、全国の地方政府は「ゼロ堅持、感染者を出すな」と、全市民PCR検査による感染者・濃厚接触者の洗い出しと、大規模隔離を断行した。しかし、オミクロン変異株の感染スピードは驚異的で、隔離対象者は全国で億単位に膨れ上がったともいわれる。そして11月下旬以降、首都北京はゴーストタウンと化した。全寮制の大学生は引き続き校内で隔離され、小中学校もレストランも閉鎖され、バスからも乗客が消えた。

一方、時を同じくして世界に目を転じれば、カタールのサッカーワールドカップではマスクさえせずに観衆が観戦に興じているではないか！　筆者のSNSにもPCRの順番待ちの列に律儀に並ぶ中国市民と、サッカーに熱狂する観衆の2枚組の写真が中国の友人から送られて来た。文字通り別世界の2枚の写真のインパクトは強烈だった。さらにこの3年間、飲食店、映画館や小規模商店の多くが地元の管轄部門から口頭やグループチャットメッセージで営業停止を求められた挙句に倒産。からがら生き残った経営者にとっても日常が戻る気配は一向に見えない。ただでさえ厳しい地方政府の財政を全民PCRゲームはさらに圧迫し、2022年の対外貿易輸出入額も大きく落ち込み、秋から始まっていた就職活動でも大学生の就職戦線は超氷河期に直面していた。市民と経済は悲鳴を上げていた。

そうした中で11月末に起きたのが、大都市での一連の抗議活動だ。詳細と全貌は追って明らかになるだろうが、若者を中心とする市民が自然発生的に、地方政府やその末端組織の乱暴で終わりの見えないゼロコロナ政策とその管理に対する不満を唱えたのは確かだろう。「よくぞ言ってくれた！」スマホの画面に見入りながら心の中で彼らに拍手喝采を送ったのは筆者だけではなかったはずだ。

そして、このデモから2週間も経たないうちに、一滴も漏らさなかったゼロコロナは「最適化」の名の下に一夜にして決壊。激流に呑み込まれるように、街中に設置されていた通行者を検問するバリケードと24時間体制でスーパーやマンションなどあらゆる入口に設けられたデジタルPCR証明の関門所が消えた。次の瞬間、今度は北京中が「全員コロナ」の海に投げ出され、8割ともいわれる人々がクリスマスの2週間前から次々とコロナに感染。筆者も家族と周囲の大多数の友人たちと同時に感染し一週間の床についた。唯一今も心配なのが高齢者だ。

10月に東京から北京に戻った私を待っていた11日間の無慈悲な自費隔離、寒空の中PCR検査の列に加わりデジタル健康証明を祈る思いで確認し、集団隔離施設送りにおののいた緊張の日々。あれは一体何だったのか？

誰もそんなことは説明してくれないが、幸いにも中国はすでに世界の一部だ。世界とシンクロしてサッカーを楽しみ、経済は無視できない。世界がウィズコロナに移行する中で中国だけ無菌空間を貫くことは不可能だった。力任せに続けたゼロコロナ体制の突然の崩壊は、中国が世界と一体化している現実をまざまざと我々に見せつけたできごとだったように思う。

そして、中国と世界をつないでいるのが若者たちだ。若いイタリア在住中国人のツイッター情報が抗議活動でも大きな役割を果たしたと聞く。中国の若者たちは徹底して英語を勉強しており、海外文化や情報の吸収には敏感だ。彼らは世界中で全方位に食指を動かしており、世界のトップレベルを走るチャイニーズITの隆盛はその現れの一つだろう。ところが、そうしたシン・中国人を横目に今のトップは街でこれまで普通にあった英語名称やクリスマスの飾りも禁じるほど内向きで排他的な政策を鋭意展開中だ。

中国の若者はノンポリかもしれないが、世界と同期で自分の生活を楽しみたいと思う点では、海外の若者と何ら違いはない。本書で見てきたように、孤独に悩みつつも心温まる恋や結婚に憧れる気持ちも全く同じだ。つまり、トップの古風なビジョンは、市井の若者たちのグローバルな好奇心や世界レベルの自由なライフスタイルの追求からは乖離《かいり》する一方だ。もしかすると、この両者の乖離は本書が見てきた現代中国に横たわる世代間ギャップによる世界一深い溝でもあるのかもしれない。

激しい歴史を経て、政治的な知恵と五感が極度に発達している「中国」は、14億人を包む集団名詞になるとその強面《こわもて》の政治性ばかりに光が当てられやすい。しかし、それは多面的で至極複雑な中国が外に見せる一側面に過ぎない。本書が急速に変わりゆくシン・中国人の生きたイメージを提供し、同じ現代を生きる人間として「ここから先」を共に考える一冊になることを願っている。

最後に、筆者を信頼してプライベートな内容に立ち入る取材に快く協力してくれた中国の方々、本当にどうもありがとう。

また、出版のきっかけを作り絶妙な塩梅で伴走してくださった筑摩書房編集部の伊藤笑子氏に厚く御礼を申し上げたい。

そして、長い間執筆の仕事を静かに力強く支えてくれた我が相棒と、北京生活の笑いと涙を共有しながら、底なしの勇気とエネルギーを与えてくれた日中の親友たちに心から感謝したい。

２０２２年12月末日　ゼロコロナから全員コロナを経て日常が回復し始めた北京にて

斎藤淳子

注

1　『民政部事業発展統計公報2017』(2018 年 8 月)、及び『民政部事業発展統計公報2021』(2022 年 8 月)
2　中国国家統計局 (2022 年 1 月)
3　『第50次中国互聯網絡発展状況統計報告』(2022 年 9 月)、中国互聯網絡信息中心.
4　李雪琴・Li Xueqin (2020 年12月)。「回家三件套 (帰省 3 点セット)」。ここで彼女が言う理想的な「帰省 3 点セット」とは「男、金、鉄道チケット」のこと。田舎に帰るのに交際中の男性を連れて帰るのは、稼いだお金と入手困難な鉄道チケットと同様に重要。『2021 春節去哪儿脱口秀』(2021年春節　Qunar　トークショー)
5　中国で 10 年ごとに行われる全国国勢調査。2020 年に実施された同調査は『中国全国勢調査 2020 』または『第 7 回人口センサス』と呼ぶ。
6　厚生労働省の人口動態調査によれば、2020 年の平均初婚年齢は男性31.0 歳、女性 29.4 歳。
7　2021 年の中国のトップレベルの (「双一流」) 大学 108 校の大学院進学率は約 44 %。
「最高 81.98 %！超百所“双一流”高校本科深造率公布 (最高は 81.98 %！　100 校超の“双一流”大学学部の大学院進学率を公布)」2022年 5 月、https://www.sohu.com/a/547172562_121123923 (2022 年11月)
8　『新週刊』2022年 2 月25日号、データは「2021中国当代不結婚主義白皮書」(2021年 8 月、百合佳縁集団) より。
9　中国民政部 2018 年.
10　中国民政部 2021 年.
11　青山資本「 2021 年度消費報告」
12　中商産業研究院 2022 年 4 月.
13　中国の夫婦別姓に関しては斎藤淳子 2021年「第 6 章：中国　姓は孤立から独立へ、モザイク模様の大国」(『夫婦別姓　家族と多様性の各国事情』栗田路子ほか共著、ちくま新書に所収) を参照。
14　中国の出生率 (粗出生率) は、生まれた人数の平均人数 (年初人口と年末人口の平均数) 比を千分。
15　内閣府 2022 年 6 月『令和 3 年度少子化の現状と対処施策の概況』
16　毎日新聞取材班 (2022 年 4 月)『世界少子化考　子供が増えれば幸せなのか』p.249、p.247.
17　国務院新聞弁公室、『新時代中国青年白書』(2022 年 4 月)『2021年教育事業統計』によると2021年の高校進学率は 91.4%。
18　吴斌・Wu Bin, 南方都市报 (2022 年 1 月17日)「中国出生人口为何大幅下降？对话中国人口学会会长翟振武」(「中国の出生人口はなぜ大幅に減少しているのか？　翟振武・中国人口学会会長との対話」) https://baijiahao.baidu.com/s?id=1722178601426571073&wfr=spider&for=pc (2022年11月)

19 『Vista 看天下』(2022 年 3 月 8 日号)
20 梁永安・Liang Yongan (2019 年) 一席・万象『梁老師的愛情課(梁先生の愛情クラス)』第 1 課「初恋和分手(初恋と別れ)」https://search.bilibili.com/all?vt=97737780&keyword=BV1Nb411E7R6&from_source=webtop_search&spm_id_from=333.1007&search_source=5 (2022年11月)
21 同上、2021年 5 月発表の『中国全国国勢調査 2020(第 7 次人口センサス)』より。14 億 1178 万人の総人口のうち、農村人口を意味する「郷村人口」は 5 億 979 万人、36.11%。
22 中国統計局による 2021年の 1 人当たりの年間可処分所得は平均 1 万8931元(約 38 万円)
23 麦可思研究院(2022 年 6 月)『就业蓝皮书:2022 年中国本科生就业报告』、(『就業青書:2022 年学部卒業生就業報告』) 社会科学文献出版社出版的图书。同報告書によると、2021年の 4 年生学部卒業生の平均初任給は 5833 元だった。月収が 6000 元以下は 6 割近く、1 万元(20 万円) 以上だったのは全体の 6.1%だった。
24 劉星圻・Liu Xingqi (2017年 6 月)『貧困地区農村高額彩礼問題研究報告(A Study of the high cost of the betrothal gift in poor rural areas of China)』
25 CCTV 新聞13 (2015年 2 月15日)「農村天価彩礼譲“剰男”婚不起」(「農村の法外な結納金が“余り男”の結婚を不可能に」)
26 厳善平 (2022 年)「加速する少子化『経済成長が止まった時』がポイントに」、同上『世界少子化考』p.85.
27 金額はいずれも2017 年の地図作成時の額。
28 前掲、劉星圻・Liu Xingqi.
29 『中国扶貧開発報告 2016』(2016 年12月) 中国社科院国务院扶贫办.
30 『2021農民工監測調査報告』(2022 年 4 月) 国家統計局.
31 民政部の公表している統計結果は父母の両方が出稼ぎに出ている16歳以下が対象で一般に言われている留守児童規模の中では最も少ない。民政部の 2016 年のデータは 902 万人で、以前から留守児童数を公表していた教育部のデータとの大きな差から注目を浴びた。教育部は 2010年~2015 年まで「教育事業発展統計公報」の中で、毎年 6 歳~15 歳の両親の片方または両方が出稼ぎに出ている子どもの数を公表。2015 年は 2019 万人だった。しかし、2016 年以降はこのデータの公開を停止している。さらに、2010 年の中華全国婦女連合会の調査では両親の片方または双方が出稼ぎに出ている(就学前の幼児を含めた)留守児童全体は約 6000 万人、うち 6 歳~15 歳は 2948 万人だった。中国国内の統計データは政府系のものだけを比較してもこれだけの差がある。また、10 年前に公開されていたデータが公開停止されるのも、近年に共通して見られる傾向。
32 人民網・people.cn (2015 年)、「専家:中国每年人工流産 1300 万人次　重複流産率 55.9 %」(「専門家:中国毎年人口中絶延べ 1300 万人、再流産率55.9%」) 2015 年 4 月24日.
33 同前、CCTV 新聞 13 (2016 年 2 月25日)

34　同前、劉星圻・Liu Xingqi.
35　CCTV 13（2015年2月7日）新聞調査－農村天価彩礼　陳東婚事（上）（下）甘粛正寧.
36　ネット番組『十三邀』第4季第4期、2019年11月
37　劉維芳・Liu Weifang（2018）「二十世紀90年以来当代婦女史研究述評」（「20世紀90年代以降現代女性史研究に関する解説評論」）、『中共党史研究』2018年第8期.
38　王勉・Wang Mian（2020年9月）「職場社恐之歌」（「職場コミュニケーション障害の歌」）、ネット番組『脱口秀3』、テンセント動画.
39　中国社会科学院社会学研究所などが2022年にまとめた『中国睡眠研究リポート（2022）』より、新華社電　2022年3月24日.
40　iResearch（蓬瑞諮詢）、【2019年中国医美行业趋势报告】（『2019年中国医療美容業界トレンド報告』）、2019年.
41　柯倩婷・Ke Qianting，李文芬・Li Wenfen（2015年）「美容民主化及其幻象－整形美容广告的現状，策略于観念」（「美容民主化とその現像　整形美容広告の現状、戦略と概念」）、『思想戦線』、2015年第4期41巻.
42　智研諮詢、【中国美容整形产业发展现状与预测】（『中国美容整形産業発展の現状と予測』）、2020年.
43　Mob研究所、【2019中国颜值经济洞察报告】（『2019年中国顔値経済洞察報告』）2020年.
44　人民網・People's Daily Online（2022年8月12日）「暑假青年“整容熱”背后，誰在販売“美容焦慮”？」（「夏休みの若者“整形熱”の背後で、誰が“美容焦慮”を売っているのか？」）、『法治日報』.
45　マイケル・サンデル・Michael Sandel、項飆・Xiang Biao（2022年3月19日）オックスフォード・チャイナ・フォーラムでの学者対談「なぜあなたは努力しないの？　エリートのおごりから見る功績主義の落とし穴」
46　2020年11月、電子商取引大手アリババグループ傘下のアントグループの新規株式公開（IPO）が突然中止され、創業者のジャック・マーが一時消息不明となった。アリババ創業者のジャック・マー氏がシンポジウムで当局に対する批判的コメントをしたのが原因だったといわれる。
47　Yi-Ling Liu, *China's "Involuted" Generation—A new word has entered the popular lexicon to describe feelings of burnout, annui, and despair*. New Yorker, May 14, 2021.

参考文献

『民政部事業発展統計公報2017』（2018年8月）
『民政部事業発展統計公報2021』（2022年8月）
『第50次中国互聯網絡発展状況統計報告』（2022年9月）、中国互聯網絡信息中心
『中国全国勢調査2020』（『第7回人口センサス』）
「2021中国当代不結婚主義白皮書」（2021年8月、百合佳縁集団）
栗田路子ほか著『夫婦別姓　家族と多様性の各国事情』ちくま新書（2021年）
毎日新聞取材班『世界少子化考　子供が増えれば幸せなのか』（2022年）
『新時代中国青年白書』（2022年4月）国務院新聞弁公室
『2021年教育事業統計』（2022年9月）中国教育省
『看天下 VISTA』（2022年3月8日号）
『中国扶貧開発報告2016』（2016年12月）中国社科院国務院扶貧弁
『2021農民工監測調査報告』（2022年4月）国家統計局

ちくま新書
1710

シン・中国人《ちゅうごくじん》
――激変《げきへん》する社会《しゃかい》と悩《なや》める若者《わかもの》たち

二〇二三年二月一〇日　第一刷発行

著者　斎藤淳子（さいとう・じゅんこ）

発行者　喜入冬子

発行所　株式会社　筑摩書房
東京都台東区蔵前二-五-三　郵便番号一一一-八七五五
電話番号〇三-五六八七-二六〇一（代表）

装幀者　間村俊一

印刷・製本　三松堂印刷　株式会社

ISBN978-4-480-07538-3 C0236